cómo Encantar a un Hombre

cómo Encantar a un Hombre

Secretos para deslumbrar y fascinar

Ellen Dugan

alamah ESOTERISMO

Título original: *How to Enchant a Man*
Copyright © 2008, Ellen Dugan
Published by arrangment with Llemellyn Publications, Woodbury, MN, U.S.A.
Ilustración de la página 161: Llewellyn Art Department

De esta edición:
D. R. © Santillana Ediciones Generales, S.A. de C.V., 2009.
Av. Universidad 767, Col. del Valle.
México, 03100, D.F. Teléfono (55 52) 54 20 75 30
www.alamah.com.mx

Argentina
Av. Leandro N. Alem, 720
C1001AAP Buenos Aires
Tel. (54 114) 119 50 00
Fax (54 114) 912 74 40

Bolivia
Avda. Arce, 2333
La Paz
Tel. (591 2) 44 11 22
Fax (591 2) 44 22 08

Colombia
Calle 80, n°10-23
Bogotá
Tel. (57 1) 635 12 00
Fax (57 1) 236 93 82

Costa Rica
La Uruca
Del Edificio de Aviación Civil 200 m
al Oeste
San José de Costa Rica
Tel. (506) 220 42 42 y 220 47 70
Fax (506) 220 13 20

Chile
Dr. Aníbal Ariztía, 1444
Providencia
Santiago de Chile
Telf (56 2) 384 30 00
Fax (56 2) 384 30 60

Ecuador
Avda. Eloy Alfaro, N33-347 y Avda. 6
de Diciembre
Quito
Tel. (593 2) 244 66 56 y 244 21 54
Fax (593 2) 244 87 91

El Salvador
Siemens, 51
Zona Industrial Santa Elena
Antiguo Cuscatlan - La Libertad
Tel. (503) 2 505 89 y 2 289 89 20
Fax (503) 2 278 60 66

España
Torrelaguna, 60
28043 Madrid
Tel. (34 91) 744 90 60
Fax (34 91) 744 92 24

Estados Unidos
2105 NW 86th Avenue
Doral, FL 33122
Tel. (1 305) 591 95 22 y 591 22 32
Fax (1 305) 591 91 45

Guatemala
7ª avenida, 11-11
Zona n° 9
Guatemala CA
Tel. (502) 24 29 43 00
Fax (502) 24 29 43 43

Honduras
Colonia Tepeyac Contigua a Banco
Cuscatlan
Boulevard Juan Pablo, frente al Templo
Adventista 7° Día, Casa 1626
Tegucigalpa
Tel. (504) 239 98 84

México
Avda. Universidad, 767
Colonia del Valle
03100 México DF
Tel. (52 5) 554 20 75 30
Fax (52 5) 556 01 10 67

Panamá
Avda Juan Pablo II, n° 15. Apartado
Postal 863199, zona 7
Urbanización Industrial La Locería -
Ciudad de Panamá
Tel. (507) 260 09 45

Paraguay
Avda. Venezuela, 276
Entre Mariscal López y España
Asunción
Tel. y fax (595 21) 213 294 y 214 983

Perú
Avda. San Felipe, 731
Jesús María
Lima
Tel. (51 1) 218 10 14
Fax. (51 1) 463 39 86

Puerto Rico
Avenida Rooselvelt, 1506
Guaynabo 00968
Puerto Rico
Tel. (1 787) 781 98 00
Fax (1 787) 782 61 49

República Dominicana
Juan Sánchez Ramírez, n° 9
Gazcue
Santo Domingo RD
Tel. (1809) 682 13 82 y 221 08 70
Fax (1809) 689 10 22

Uruguay
Constitución, 1889
11800 Montevideo
Uruguay
Tel. (598 2) 402 73 42 y 402 72 71
Fax (598 2) 401 51 86

Venezuela
Avda. Rómulo Gallegos
Edificio Zulia, 1°. Sector Monte Cristo.
Boleita Norte
Caracas
Tel. (58 212) 235 30 33
Fax (58 212) 239 10 51

Primera edición: enero de 2009.
ISBN: 978-607-11-0028-3
D.R. © Diseño de cubierta y de interiores: Carolina González Trejo
Traducción: Ana García Bergua

Impreso en México

Conoce cómo vivir dentro de ti:
hay en tu alma todo un mundo
de pensamientos misteriosos y encantados…

FYODOR TYUTCHEV

Introducción
¿Qué es el encantamiento?

Así estoy perdido en tus ojos, oídos, nariz y garganta,
me has hechizado con un simple beso
que nunca se podrá deshacer...

KENNETH KOCH

El amor es una fuerza mística y una presencia física que nos mueve a lo largo de nuestras vidas y conforma diariamente nuestra existencia cotidiana de muchas maneras. Piénsalo por un momento: cada mujer está o bien enamorada, trabajando para mantener encendida la llama, o bien buscando el amor, negando que necesita amor, recuperándose de una relación que se ha desvanecido o lamentando la ausencia de un buen hombre en su vida.

El tema de la magia amorosa es popular. Así debería ser, pero no por las razones que puedes sospechar. El amor es la magia más verdadera, la más vital que he experimentado. Es una fuerza de la naturaleza y es poderosa. Como bruja practicante durante cerca de veinticuatro años, les puedo decir sin dudarlo que la magia del corazón es el encantamiento más potente de todos los que conozco.

Seguro que el título de este libro atrapó tu atención y estás emocionada, y muy curiosa. Pero ahora que he captado tu interés, pensemos realmente en ello por un momento. ¿Qué crees que estoy queriendo decir verdaderamente cuando utilizo la palabra encantar? ¿Supones que estoy haciendo un juego de palabras? ¿O es el encantamiento simplemente una metáfora inteligente de la atracción? ¿Podría utilizarse encantar para describir un estado emocional? Y ya que estamos metidas en esto… ¿qué significa la palabra encantar?

Según mi muy práctico Webster's New Collegiate Dictionary, la palabra encantar queda definida como sigue:

1. Cantarle a alguien. 2. Ser influido por o —como si lo estuviera— los hechizos y los encantamientos. 3. Atraer y conmover profundamente; elevarse a la admiración extática.

Esta definición clásica sienta las bases para explicar la práctica de la brujería y la magia. En los antiguos tiempos, encantar algo consistía en cantarle –sí, literalmente, cantarle encima un hechizo rimado- que podía ser otra manera de embrujar algo.

Hoy, la palabra Bruja tiene también muchas implicaciones populares. Algunas personas imaginan a la clásica bruja de Halloween, con aspecto aterrador (ya saben, la vieja bruja que se carcajea sobre un caldero). Pueden imaginar a un hermoso y seductor personaje ficticio de las películas, la televisión y la ficción popular, o pueden conocer la verdad. Seamos claros y tomemos unos minutos para sacudir las exageraciones y las mentiras, y ver la realidad de la verdadera magia y las verdaderas brujas.

Un Brujo es un practicante mágico, hombre o mujer, y/o seguidor de una religión terrena, como la Wicca. La Wicca es una religión legalmente reconocida en Estados Unidos y la Wicca es un camino tranquilo, amoroso y pacífico. Los wiccanos no desean dañar a nadie con su magia, y siguen un código estricto de no manipulación —que, en caso de que se lo estuvieran preguntando, es el tipo de magia que encontrarán en este libro.

¿Será divertido? Claro. ¿Serán verdaderamente capaces de llevar a cabo solas estos hechizos y encantamientos? Absolutamente. Y apuesto a que realmente quieren preguntar... ¿funciona realmente la magia? ¡Cuánto apuestan a que sí!

Ahora bien, las que son nuevas en la práctica de la brujería (a la que también nos referimos como nuestro Arte), necesitarán entender cómo funciona todo esto y estar familiarizadas con los mecanismos de la magia. Y ustedes que son practicantes experimentadas, saben exactamente por qué.

En este libro de "cómo hacer", encontrarán técnicas para ayudarlas a atraer la energía del amor y el romance a sus vidas. Habrá hechizos y encantamientos, así como una exposición de las reglas cuando se trata de la magia y el amor. Sí, reglas. Nada es gratis en la vida, y necesitan entender las reglas del juego mágico para no quemarse.

LA MAGIA DEL AMOR

El amor es el mago que saca al hombre
de su propio sombrero.
BEN HECHT

El amor no difiere de la magia, puesto que ambos son algo que debe ser experimentado para entenderse plenamente. Puesto que la comprensión de estos misterios sólo llega con la experiencia, tienes que ir a las trincheras y vivir con entusiasmo tu propia vida. La manera más fácil de enamorarse es estar enamorada de la vida. El secreto para atraer a los otros es sentir y creer que tú misma eres atractiva y merecedora de amor. El amor comienza cuando obtienes placer de las actividades cotidianas. Así que las invito a mirar a su alrededor y experimentar su mundo tal como lo hace una Bruja. Descubran el encantamiento que es inherente a toda la naturaleza y a todos los seres.

Para cuando terminen este libro, no sólo sabrán cómo encantar a un hombre, también habrán descubierto cómo trabajar con las fuerzas mágicas positivas y naturales que están a su alrededor para atraer alegría, felicidad y encantamiento a su vida. *¡Bon voyage!*

CAPÍTULO 1
El encantamiento es el arte de la hechicería de una mujer

Esos dedos en mi pelo
esa mirada escondida de "ven aquí"
dejan mi conciencia desnuda
es brujería.

CAROLYN LEIGH Y CY COLEMAN, *WITCHCRAFT*

i manera favorita de explicar a la gente lo que es la magia y cómo funciona es utilizar la siguiente analogía. Me parece que es sencilla de visualizar y fácil de entender. Así que si han leído antes mis libros, esto les parecerá familiar. Si no, creo que encontrarán los siguientes párrafos particularmente útiles. Así que instálense, pónganse cómodas y listas para aprender.

La magia es el arte y la ciencia de crear un cambio positivo en sus vidas. La magia es también una fuerza de la naturaleza que hasta ahora no ha sido explicada por la ciencia. En verdad, toda la naturaleza se encuentra interconectada, de manera no muy distinta a los filamentos de una tela de araña. ¿Han tocado suavemente el borde exterior de una tela de araña? El toque más leve o incluso una brisa provocará que la tela de araña tiemble. Así que comiencen a imaginar el mundo cósmico y su medio ambiente como una red espiritual. En ella, cada una de las religiones del mundo están tejidas entre sus hebras, ya que todo lo que pertenece a la creación y a la naturaleza está interconectado, uno con lo otro. Creer en, y practicar la magia positiva es una de las maneras de estar conectada a esta red de vida. Cuando hacemos magia y lanzamos nuestros hechizos de amor para traer un cambio positivo, estamos, de hecho, tejiendo suavemente nuevos patrones en esa red espiritual.

La magia es un proceso comprensivo. Funciona sobre la base de tu propio poder psíquico personal y sobre una conexión, vibración o armonía entre las cosas. La magia gira alrededor de la esencia de la vida, el poder de los cuatro elementos: tierra, aire, fuego y agua, y una devoción por el mundo natural. Este respeto por la fuerza vital y empatía con las fuerzas de la naturaleza se encuentran en el mismo centro de la práctica mágica.

El uso de hechizos y magia no es una moda *New Age.* Es, de hecho, una práctica antigua. Es posible que hayas sentido ya el poder de la magia o incluso lanzado uno o dos hechizos seductores anteriormente y ni siquiera te hayas dado cuenta. Si usas perfume, has aprovechado el poder de los aromas para cambiar tu estado de ánimo y parecer más atractiva para alguien especial. Está también la tradición romántica del lenguaje de las flores. Las flores y los aromas especiados, florales, tienen una historia profunda y rica de mitología y folclor. Cuando se trata del amor, la mayoría de los pueblos conocen los significados florales básicos, especialmente cuando se trata de uno de los tipos de flores más populares para darle a un amante: la rosa.

Tradicionalmente, las rosas rojas se asocian con el deseo y la pasión, mientras que las rosas rosadas se asocian con el amor romántico. Las rosas blancas simbolizan un amor puro e inocente: así fue como se volvieron tan populares como flores nupciales. ¿Has recibido acaso un ramo de rosas de un hombre y te has preguntado por qué funcionan tan condenadamente bien, ya sea para suavizarte después de una discusión o dejarte saber sus intenciones? Esto es porque tú también has caído bajo el hechizo lanzado por aquel que te dio las flores y por la magia, el folclor y la historia de las flores. Seguro te estás preguntando: "¿De verdad puede la magia ser tan simple?"

Sí, sí puede serlo.

Sin embargo, la magia es una paradoja. Es bellamente simple, pero también compleja. Puede ser tan suave como ser rociada de pétalos de rosa o tan peligrosa como ser alcanzada por un rayo. ¿Una comparación demasiado atemorizadora para ti? Bueno, en este caso estoy siendo honesta. Prefiero que estés felizmente cubierta de pétalos de rosa y no dolorosamente quemada.

REGLAS DEL JUEGO

No puedes practicar la brujería
si la miras con desprecio
TÍA JET, *MAGIA PRÁCTICA*

Cuando se trata de magia y hechizos de amor, existen reglas que debes seguir. Al tener presentes estas reglas y permitir que te guíen en tus encantamientos, te asegurarás de que tu magia no sea manipuladora y sí sea positiva. Ciertamente la magia puede ser usada para mejorar la apariencia, reforzar la confianza, mejorar la actitud, llamar la atención de un compañero y endulzar la perspectiva de la vida, lo que entonces te hace más atractiva.

Sin embargo, los encantamientos no deberían ser usados para obligar o coaccionar a alguien, o manipular sus emociones. Si cruzas el límite y rompes las reglas, te encontrarás lidiando con las consecuencias de maneras que nunca has imaginado. Una mujer que entiende las reglas del encantamiento sabe que su papel es atraer, elegir un compañero, y después amar. No importa cuán tentada se sienta de perseguir, enganchar y capturar al tipo, la magia no es un arma que deba ser usada para la cacería de hombres.

Los hechizos que se muestran en este libro deberán contener tus mejores energías, las más positivas. Deberán llevar la imagen mental de la clase de amor que deseas. Los hechizos y encantamientos tienen el poder de traer un verdadero cambio a tu vida. Los hechizos y encantamientos de hecho funcionan y conforme se manifiestan, adquieren una fuerza y una energía propias. Esta energía creada por el hechizo da vida literalmente al resultado de tu deseo. Con esto en mente, echemos un vistazo a las reglas de los encantamientos y a la brujería ética:

No dañar a nadie. Permíteme ser absolutamente clara: no dañes nada. Ni a ti, ni a otras personas, plantas o animales. No dañes la propiedad de nadie ni el medio ambiente. La magia trata de alegría, amor y de crear un cambio positivo; no se trata de provocar problemas, quitarle algo a los otros o causar caos, dolor o ira de ninguna manera. Debes trabajar tus hechizos y encantamientos para obtener el mejor desenlace posible de la situación y para ti y todos los que estén involucrados —que es una manera más de estar muy segura de que el hechizo que estás lanzando no causará ningún daño.

La manipulación es mala. Nunca realices una magia que va a influir en el libre albedrío de otro. Ahora bien, ciertamente puedes trabajar en un encantamiento que atraiga a un amante en general, pero nunca lances un hechizo para atrapar a alguien específico. Sólo una mujer desequilibrada o poco prudente recurriría a la magia manipuladora para conseguir un hombre. Un hombre que no te quiere por su propia voluntad no es el hombre adecuado para ti. ¿Te gustaría que alguien te quitara el derecho a escoger de quién te enamoras o manipulara de manera falsa tus emociones o sentimientos? No lo creo. Considerando que este aspecto de la magia denota un individuo maduro, y aquí es donde tu ética personal y sentido del honor entran en juego, es importante honrar el carácter sagrado del amor y respetar tanto a los hombres como a ti misma. Esta es la clave de la magia ética.

No apuntar a nadie específicamente. Este es un punto muy importante y vale la pena subrayarlo una vez más. Cuando realices tus hechizos y encantamientos, pide a "la persona correcta para ti", no a un individuo específico. Seguro que el señor. Tipo Atractivo Corporativo de la oficina puede parecer el sueño de cualquier chica... pero podría terminar siendo tu propia pesadilla personal, ultra-conservadora, vanidosa y esnob. Nunca sabes, el lindo mecánico que arregló tu transmisión puede terminar siendo el amante y compañero amoroso de tus sueños. ¡Las mejores relaciones románticas son las que te sorprenden! Y es que cuando se trata del amor, realmente nunca sabes. Así que no pongas límites a tu realización del hechizo ni a ti misma. Deja que las cosas se desarrollen y observa qué pasa.

Respeta los flujos de la naturaleza y de los elementos. La magia surge de todas esas fuentes. Los hechizos y encantamientos de este libro trabajarán con las estaciones, los ciclos y las fases de la luna, así como con los cuatro elementos naturales: tierra, aire, fuego y agua. Cuando trabajas en conjunto con la naturaleza, tus hechizos y encantamientos fluyen mejor y son mucho más efectivos. Encontrarás una descripción más detallada de la magia de los elementos y los flujos de la naturaleza, y de cómo se puede incorporar este poder a los encantamientos de amor, en el capítulo 4.

Celebra tu conexión con la Diosa. La Diosa es la deidad a la que invocas cuando estás tratando con magia que implica amor y atracción. La Diosa es una deidad amable y amorosa, es también una triple deidad, lo cual significa que su persona tiene tres distintos aspectos. Es la Doncella fuerte e independiente, la Madre amorosa y consoladora, y la Vieja sabia. Proviene de todas las culturas del mundo y tiene muchos nombres diferentes, personalidades y especialidades. A veces se refieren a ella simplemente como la "Gran Madre" o la "Dama". En este libro, se te presentarán diversos aspectos de la Diosa. Pero no importa cómo la imagines, si eres sincera y tienes un corazón abierto, ella escuchará tu petición mágica y te responderá. El romance es una de las especialidades de la Dama.

Seguir la Regla de Tres. Hay una regla tradicional de la Brujería y la magia que afirma: "Toma siempre en cuenta la regla de tres, lo que das regresa a ti tres veces." Esto significa que cualquier tipo de energía mágica que envías con un hechizo, ya sea positiva o negativa, circulará y retornará directamente a ti, amplificada tres veces. De modo que sólo tiene sentido mantener tus encantamientos en un tono afirmativo, amoroso y no manipulador.

Postdata: la magia es una lección de causa y efecto.

EL AMOR MÁGICO PUEDE SER IMPREDECIBLE: CÓMO EVITAR SALIR QUEMADA

El amor no sólo debe ser una llama, sino una luz.
HENRY DAVID THOREAU

"¡Bueno, caramba! —puedes estar pensando— ¡yo sólo quería los hechizos!" Bien, ¿adivina qué? Estás recibiendo mucho más. Sería irresponsable, por no decir descuidado de mi parte, llenar tan sólo este libro de hechizos que suenan misteriosos y dejarte a la espera, completamente ignorante de lo que ocurrirá cuando abuses de la magia y juegues con nuestro Arte. Para obtener éxito con tus hechizos, necesitarás comportarte con responsabilidad, creer en la magia y seguir sus reglas.

Antes de que empieces a poner los ojos en blanco (tengo hijos adolescentes que me ponen los ojos en blanco todos los días, muchas gracias), me gustaría decirte por qué es tan importante no apuntar a nadie específicamente cuando trabajes en tus encantamientos de tema amoroso. No, no te estoy quitando toda la diversión; espero que actúes como un adulto. Es importante que sigas estas reglas, ya que te pueden salvar de un montón de problemas más tarde. ¿No quedaste convencida? Aquí hay unos cuantos ejemplos de lo que puede pasar si ignoras las reglas cuando se trata del amor y la magia.

Es típico que cuando trabajas con un hechizo de amor manipulador dirigido a alguien en específico, todo se vuelva un caos. Cuando el hechizo hace efecto, el destinatario a menudo se desequilibra emocionalmente y de hecho él o ella se convierten en víctima de la manipulación de quien lanzó el hechizo. Esto ocurre por varias razones. En primer lugar, una parte de la víctima sabe de manera instintiva que algo está mal y trata de combatirlo. En un nivel intuitivo, siente que está sucediendo algo diferente y todo su sistema lucha por librarse de la energía no deseada. Ahora bien, si la víctima del hechizo de amor tiene cualquier tipo de talento psíquico, experimentará tal manipulación de amor como una suerte de ataque psíquico. (Tradicionalmente, un ataque psíquico ocurre cuando la energía no deseada de alguien más se adhiere a otra persona).

La víctima puede estar inicialmente atraída hacia ti como lanzadora del hechizo manipulador, pero no sabe por qué, ni entiende lo que le está sucediendo. Así que puede exteriorizarlo, volverse hostil contigo o comportarse de manera completamente distinta a lo que hubieras esperado o posiblemente imaginado.

También existe una excelente posibilidad de que la víctima de un conjuro de amor no deseado se obsesione con quien lo hechizó, convirtiéndose en un adorador devoto y esclavo amoroso. Seguro, es divertido, incluso satisfactorio imaginar a un hombre satisfaciendo cada capricho tuyo durante un tiempo... pero luego llega la realidad. Esta clase de conducta aduladora cansa con gran rapidez. He escuchado muchas anécdota sobre este tipo de trabajos de hechicería a lo largo de los años y las historias terminan mal. Típicamente, el destinatario del hechizo de amor se enfurruñará, comenzará a ponerse irritable y típicamente agresivo, y luego se volverá completamente obsesivo si estás fuera de su vista durante cualquier lapso de tiempo.

¡Recórcholis! ¿Dónde está ahora la diversión?

O puede salirte totalmente el tiro por la culata, y la propia lanzadora del hechizo puede ser la que se obsesione. Sé de una mujer que se obsesionó tanto con el objeto de sus hechizos de amor que su mundo entero implosionó. Probó todo, incluso los hechizos manipuladores, para conservar a su antiguo amante. Ella sabía que no debía dirigirse a alguien específicamente. No le importaba que hubieran roto o que él estuviera viéndose con otra mujer. Mucha gente trató de razonar con ella, pero, ay, ella estaba demasiado atrapada en su propio drama y se negaba a dejarlo ir.

Ella justificaba sus hechizos de amor manipuladores diciendo que su amor estaba destinado a ser. Tenía que ser y ella sólo lo asfixiaba. Incluso aunque él trató de seguir siendo su amigo, pronto sintió que algo estaba mal y se asustó de ella y de su obsesión. Eventualmente consiguió una orden de restricción. ¿Fue eso suficiente para ella? ¿Finalmente cesó y desistió? Desgraciadamente, no.

Trabajan en la misma oficina, y una vez ella lo vio con su nueva mujer en el comedor de la compañía. Creó una escena tan nefasta que la despidieron sin sueldo, fue escoltada desde su lugar de trabajo por guardias de seguridad y se le dijo que nunca regresara sin una recomendación escrita por un psiquiatra.

Creo que podemos etiquetar esto como una manera de no hechizar a un hombre. Así que no, no estoy tratando de sonar como tu madre con todas estas prevenciones y reglas. De lo contrario, te estoy dando las reglas de la magia de manera que puedas entender el razonamiento detrás de ellas. Recuerden que los encantamientos amorosos buscan crear un cambio positivo para el bien de todos. Ahora que entiendes las reglas y los caminos de la magia, serás capaz de tomar decisiones inteligentes, sensatas e informadas.

COMENZANDO...

ENCUENTRA LA MAGIA A TU ALREDEDOR

> *Bueno, hay magia alrededor de ti, si yo mismo lo digo,*
> *lo supe desde mucho antes de conocerte.*
> STEVIE NICKS Y RICK NOWELS, *ROOMS ON FIRE*

Si tu meta y tu intención es traer el amor a tu vida, entonces la mejor manera de comenzar es situarte en el marco mental correcto. Emplear hechizos y encantamientos e incorporar nuestro Arte a tu vida significa darte cuenta de tu conexión con cada cosa en el universo. ¿Recuerdas la red espiritual de la que hablábamos antes? Al realizar magia aprovechas la energía natural que está a tu alrededor y la dirige a tu vida para un propósito específico. Creo que Laurie Cabot lo dice mejor en su libro *Love Magic*: "La Magia es la capacidad de alterar nuestro estado de conciencia a voluntad con el fin de efectuar algún cambio en el mundo."

Para tener éxito en la magia, tienes que esforzarte. Sí, existen los accesorios mágicos, las herramientas y los versos de los hechizos que se emplean. Sin embargo, existe también una energía psíquica y mental que se requiere para catalizar el hechizo. Esta energía mental es la misma energía que carga la red de la vida. Cuando liberas esta energía personal, intuitiva y mágica, ésta forma ondas en todas las direcciones a través del universo.

Una parte vital del encantamiento es aprender a actuar según tu intuición. ¿Cuándo fue la última vez que honraste tu intuición femenina? La intuición es un "saber" espontáneo descrito como un entendimiento, o una voz interna. Es también una experiencia precognitiva, lo cual significa que estás recibiendo información sobre acontecimientos futuros, gente y lugares. La intuición es más que una "corazonada". Es información que recoges de tu alma.

¿Qué supones que sucedería si te pusieras en sintonía y prestaras atención a tus instintos y dejaras que tu intuición te guiara cuando se trata del amor y el romance? Bueno, para las principiantes, podrían tener un mejor juicio sobre los hombres que conocen. Presta atención a tu voz interior y ve lo que te dice sobre la gente nueva que encuentras en tu camino. No niegues ni invalides los poderes que te son dados por la Diosa. Si los bloqueas, estás cerrando la puerta a tu conocimiento de otros ámbitos encantadores de la magia. Al abrazar tu intuición femenina, puedes también recurrir a tu magia fácilmente.

Para comenzar, simplemente tranquiliza tu mente y escucha esa voz interior. Pon atención a tus reacciones físicas también. Si tu estómago se tensa dolorosamente, entonces tu intuición te está previniendo, así que procede con cuidado. Si sientes un pequeño vuelco del estómago o una agradable y cálida prisa, tu intuición te está dando una advertencia. Puedes encontrar al tipo de hombre que estás buscando con mayor facilidad cuando combinas el encantamiento con tu propia intuición femenina. Tu instinto te podría ayudar literalmente a estar en el lugar correcto en el momento correcto. Pruébalo por ti misma, y comienza a creer en tus propias habilidades.

A tu alcance se encuentra una gran variedad de talentos mágicos y habilidades psíquicas. No son misteriosos ni de otro mundo, son naturales —tan naturales como la tierra que pisas, la luna y el sol arriba en el cielo. Permite que entren estas experiencias psíquicas a tu vida. Ábrete a las posibilidades de trabajar en armonía con tu intuición femenina, ya que sólo podemos experimentar lo que estamos dispuestas a reconocer. De verdad, en cada mujer hay una Hechicera.

Mujer bruja

> *Mujer bruja, mira qué alto vuela,*
> *mujer bruja, tiene la luna en sus ojos.*
> Don Henley y B. Leadon, *Witchy Woman*

Una Bruja no persigue el amor; en su lugar, lo atrae y lo guía hacia ella. Una Bruja inteligente permite que la naturaleza siga su curso. Hay un antiguo dicho en nuestro Arte que llama a los practicantes a "seguir su felicidad". Esto significa que debes enfocarte en ti misma y primero ponerte alegre y contenta. Si lo logras, los hombres llegarán atraídos a ti por su propia y libre voluntad.

La verdad es que, si quieres encantar a un hombre, primero tienes que estar encantada contigo misma y feliz en tu propia vida. ¿Cuántas de ustedes han notado que cuando se sienten solas y desesperadas por una relación, no hay dónde encontrar un buen hombre? Pero en el minuto en que estás en una relación feliz y estable, los hombres disponibles parecen surgir por todas partes –lo que basta para hacer que te golpees la frente y te preguntes dónde estuvieron escondidos durante todo este tiempo. Honestamente, no se estaban escondiendo en lo absoluto.

A los hombres les atraen típicamente las mujeres alegres y seguras de sí mismas. Les fascina y les encanta el brío, la fuerza, la energía y la confianza femeninas. Asimismo, para la mente de un hombre hay algo cautivador en una mujer fuerte que lo desea, pero realmente no lo necesita. Lo pone furioso, pero muy en el fondo, lo encuentra irresistible.

Una mujer segura de sí misma y equilibrada posee un poder imparable. Existen cualidades mágicas fabulosas y positivas en el hecho de ser una mujer encantadora; unas cuantas de ellas son el amor, un sentido del cuidado, una capacidad de curar y tranquilizar con la voz y el tacto y, por supuesto, tenemos una intuición bien desarrollada. Como mujeres, tendemos a perder gran parte de nuestro poder y nuestra autoestima al preocuparnos por la apariencia de nuestros cuerpos, en lugar de trabajar con lo que tenemos. Los hechizos y técnicas en este libro te ayudarán a aprender a jugar con tus mejores recursos y te darán muchas ideas respecto a cómo puedes pulsar tus propias habilidades de encantamiento. Las mujeres que confían en ellas mismas y adoptan sus cualidades femeninas únicas son sensuales, brillantes y creativas –y son magnéticas por su propia naturaleza.

CONVIÉRTETE EN UN IMÁN DE AMOR

Creo que hay un magnetismo sutil en la Naturaleza,
que, si cedemos a él inconscientemente,
nos guiará al bien.
HENRY DAVID THOREAU

Ahora pasaremos a las reglas físicas de la atracción. Los hechizos y encantamientos que estás a punto de realizar pueden utilizarse de manera exitosa para enviar tu energía personal, encantadora e individual. Esto, a su vez, ayudará a atraer hacia ti al amante correcto. Con un poco de *savoir faire* mágico, puedes ciertamente volverte más deseable y magnética. Cuando una mujer es magnética, posee un extraordinario poder para jalar y atraer. ¿Atraer qué, te preguntas? Vaya, pues aquello que más deseas y por lo cual estás dispuesta a trabajar, querida. Esto puede ser un cambio positivo, un hombre nuevo en tu vida, prosperidad, conocimiento, protección, una promoción... lo que más desees.

Todas las mujeres son magnéticas. Es un regalo de la Diosa. Una Bruja simplemente aprovecha este poder natural y le da forma con un propósito; después lo dirige hacia su vida. Se puede aprovechar este poder receptivo y encantador muy fácilmente. Aquí las que trabajan son fuerzas naturales. Como lo explicamos antes, la magia trabaja con las energías de la naturaleza, no en su contra. El magnetismo es un fenómeno físico. Este fenómeno implica una ciencia que lidia con campos de fuerzas o energía (como en uno que es atraído por el otro). El magnetismo también se define como la capacidad de atraer o encantar. Si alguien es "encantado", fueron afectados por la magia. Son suavemente inducidos, complacidos y llevados a ti por su libre albedrío. Fueron atraídos.

Esto nos lleva claramente a abordar el poder receptivo. Ser receptivo es ser capaz de recibir, llevar hacia adentro, ser abierto y sensible. El poder receptivo es inherentemente femenino. También tienes que darte cuenta de que el poder receptivo no es débil ni sumiso. Para nada. El poder receptivo es magnético, irresistible y fascinante.

El magnetismo ocurre cuando hay una polarización de la energía. Una manera de pensar en esto es darse cuenta de que las energías proyectivas masculinas y las energías receptivas femeninas se encuentran en una danza cósmica continua. Esta acción irresistible entre estos dos poderes es una verdadera fuerza de la naturaleza. Ser receptivo es estar abierto a todas las posibilidades de encantamiento que se encuentran allá afuera y después traerlas hacia uno mismo. Si quieres un curso intensivo sobre cómo atraer energía, respira profundo. Cuando inhalas aire, sientes el poder de atraer.

Así que imagínate como un individuo cautivador que tiene el poder de traer y atraer a aquel que más desea. Mírate como una mujer bella y hechicera, porque ¡eso es exactamente lo que eres! Abre tu alma y permite que entre a tu vida más diversión, espontaneidad, alegría y belleza. Actúa como una diosa. Porque cuando permites que brille esa luz mágica interna, tienes que dejar de lado viejas ideas e imágenes preconcebidas de ti misma y estás, de hecho, permitiendo que la esencia del amor y el encantamiento entren en tu vida.

Encantando el espacio de trabajo: el altar del amor

Cada montaña coronada de nubes es un altar sagrado;
un órgano respira en cada arboleda;
y todo el corazón es una salmodia,
rica en himnos profundos de gratitud y amor.

Thomas Hood

Una buena forma de comenzar tus encantamientos es confeccionar un altar. Este será un espacio mágico en el que concebirás estos futuros cambios positivos y amorosos que estás trayendo a tu vida. La mayoría de la gente piensa que un altar es algo que sólo se encuentra en una iglesia o un templo. Pero tú puedes ciertamente crear tu propio altar mágico personal en casa. Esta es una manera sencilla y elegante de invitar a lo sagrado y lo divino a tu vida todos los días.

Tener un espacio sagrado específicamente para trabajar tus encantamientos es una maravillosa manera de reforzar tus intenciones positivas. Ahora bien, ten presente que tu espacio de trabajo mágico puede ser de cualquier forma o tamaño, y debe reflejar tu propio gusto personal. Debería estar decorado y arreglado en una forma que te haga sentir cómoda y feliz. Elaborado y teatral, o simple y modesto –tú eliges. Así que empieza a buscar tu lugar e imagínate cuál superficie a tu alrededor podría transformarse en un altar apropiado.

Podrías utilizar una mesita de televisión y hacer tu altar portátil y temporal. O puedes usar una mesita auxiliar de la sala o la parte de encima de tu tocador y conservar tu espacio de trabajo como un arreglo permanente. Es completamente tu elección. Tu altar te ayudará a mantenerte conectada con la Diosa, y ayudará a recordarte que te detengas y experimentes la magia amorosa que se encuentra en tu vida. Tus metas y deseos de cambio van a estar representados en este espacio de trabajo mágico, así que tómate el tiempo para elegir objetos para él que sean importantes y especiales para ti.

Recuerda mantener este altar de trabajo como un lugar de veneración. No coloques en él objetos mundanos como platos sucios, llaves o el correo. Mantenlo como un lugar separado y especial dedicado sólo a tu magia. Tampoco tengas miedo de cambiar las cosas ocasionalmente o intercambiarlas. Prueba diferentes colores y que tu altar se vea siempre fresco, bonito y estimulante.

Para darte algunas ideas para arreglar tu altar de amor, prueba los siguientes elementos. Para cubrir la superficie de trabajo, yo utilizaría un cuadrado de 24 a 36 pulgadas de tela natural roja o rosada (el color que prefieras). Para la tela puedes usar muselina de algodón, o echar la casa por la ventana y cubrir la superficie con un pañuelo de seda. Usa telas naturales, ya que son más complementarias con las energías de la magia y el encantamiento.

Coloca una bonita foto tuya en este altar; después de todo, esta magia es para ti y necesitarás algo que te represente. También deberías añadir un pequeño imán, para representar el poder femenino que posees para "jalar" y atraer. Ahora, para añadir a tu altar un poco de atmósfera "brujil", yo añadiría una luz suave. Para velas de iluminación, un par de velas blancas simples en candeleros son perfectas. Por favor toma nota de que si las velas no son una opción para ti, usa entonces una pequeña lámpara decorativa con un foco de bajo voltaje.

Un maravilloso añadido son unas flores frescas y fragantes en un florero, así como unas pocas representaciones naturales de cada uno de los cuatro elementos mágicos. Prueba una piedra bonita o una roca de cristales para el elemento de tierra; una pluma para simbolizar el elemento de aire; una concha para el elemento de agua y una pequeña vela roja o una piedra de lava para significar el elemento del fuego. Si quieres, puedes añadir también una estatuilla o una pintura enmarcada de una diosa para el arreglo de tu altar. Esparce pétalos frescos o confeti con forma de estrellas en el altar para animar las cosas. Añade un plato de popurrí de especias o quema un poco de tu incienso aromático favorito. ¡Sé creativa, romántica y observa qué puedes invocar!

Ahora que tienes tu altar arreglado y listo, he aquí un simple hechizo para consagrarlo y dejar listo el espacio de trabajo para tus futuros hechizos, sortilegios y encantamientos.

Consagrando el altar del amor

Arregla el altar según tus gustos. Si necesitas ideas, remítete a las sugerencias anteriores. Una vez que lo has arreglado a tu gusto, enciende tus velas, pega cuatro veces en la mesa (una por cada elemento) y di el siguiente conjuro consagratorio:

> Cuatro elementos, reúnanse al sonido de mi voz,
> trayendo sueños y esperanzas a la realidad; esta es mi elección.
> hoy consagro y bendigo este altar del amor,
> que me traiga bendiciones y alegría lo mejor posible.
> por los poderes de la tierra, el aire, el fuego y el agua,
> creo un cambio positivo, ¡alegría, amor y risa!

Ahora disfruta el altar de amor que has creado. Podrías meditar un rato o sólo ponerte cómoda y gozar de la bella atmósfera. Cuando hayas terminado, apaga las velas de iluminación y sabrás que tu altar de amor está listo y a la espera de que comiences a lanzar tus primeros hechizos y encantamientos. Acabas de establecer las bases para que el amor llegue a tu vida.

Hechizos de amor: una prepara

Me tuvo hechizado en la noche
entre las sombras que danzaban y la luz del fuego...

DON HENLEY Y B. LEADON, *WITCHY WOMAN*

hora, al asunto que has estado esperando: los hechizos. Para las que son nuevas en la idea del encantamiento y la magia, y que ya están tramando alegremente lo primero que harán. Vamos a comenzar hablando de lo que verdaderamente es un hechizo. Un hechizo es un intento consciente y formal de dirigir el poder y la energía mágicos hacia tu meta personal. También he visto descrito un hechizo como un deseo bien pensado que carga consigo el poder de hacerse realidad. La manera más simple de explicar esto es dándote una definición básica de la palabra hechizo. Y va un poco más o menos así...

Un hechizo se compone de una serie de palabras que riman, que verbalmente anuncian la intención de quien las lanza. Cuando estas palabras se combinan con acciones específicas, como una iluminación o una vela, creando un amuleto, o recogiendo una hierba, entonces es trabajado con los flujos de la naturaleza. Combinado con la energía personal del que lanza el hechizo, esto dota al acto mágico con el poder de crear un cambio positivo.

Pero no importa cómo veas la palabra hechizo —ya sea una descripción básica de la palabra o una definición cuidadosa del acto—, la magia es una parte y una fuerza fundamental de la naturaleza. Se encuentra en todas partes, en las cosas más simples: flores, colores, piedras, hierbas, la misma tierra. Y existe la posibilidad de aprender cómo aprovechar esta energía y utilizarla exitosamente.

Ahora, el hechizo de amor es probablemente una de las peticiones más populares cuando se trata de magia. Sin embargo, tal como lo hemos expuesto en el capítulo anterior, la manipulación emocional mágica está muy lejos de los límites de la Bruja ética. Y tú sabes por qué la ética es importante: a la Hechicería se le dice el Arte de los Sabios. Es aquí donde entra en juego tu sabiduría personal. ¿Qué tan lista eres, por cierto? ¿Eres lo suficientemente lista como para utilizar la magia éticamente y para bien de todos los involucrados? Ah, ahora ves por qué de buenas a primeras repasamos las reglas de la magia. Hay mucho más en la magia del amor que tan sólo el tipo de hechizo "serás mío", de amor ficticio.

Puedes revitalizar la pasión en una relación amorosa o mejorar tu apariencia personal, volviéndote por lo tanto más notoria y encantadora. Puedes trabajar éticamente hechizos de belleza interior y exterior, atraer una relación amorosa a tu vida, trabajar en la comunicación entre tú y tu compañero y añadir un poco de pimienta a una relación física que parece haber perdido su garra. Estos escenarios y muchos más son posibles. El cielo es el límite, y recuerda que las acciones afirmativas crean un resultado feliz y una realidad positiva.

CREER Y RECIBIR:
EL ARTE DE CREAR HECHIZOS

> *Si crees en la magia, ven conmigo.*
> *Bailaremos hasta la mañana, hasta que no quedemos*
> *más que tú y yo y tal vez, si la música es la atinada*
> *te veré mañana en la noche, más o menos tarde...*
> JOE SEBASTIAN, *DO YOU BELIEVE IN MAGIC?*

Sí, ciertamente es un arte crear un hechizo. Pero es más simple y más instintivo de lo que probablemente estás imaginando. Para empezar, tienes que creer y luego permitirte recibir. Igual que en aquella vieja canción de los años sesenta, tienes que creer en la magia. El trabajo de hechizar es más fácil de hacer y cosecharás mejores resultados si verdaderamente crees en lo que estás haciendo. Las dudas y el autocuestionamiento aplastarán cualquier posibilidad de que el hechizo funcione. Tienes que creer en un hechizo para darle vida. Al final de este capítulo encontrarás unos cuantos hechizos de "calentamiento" para que los trabajes, y te ayudarán a construir esa confianza mágica. Cuando intentes esos simples hechizos de auto-mejoramiento, comenzarás a ver el resultado de tu trabajo —permítete recibir los beneficios. Tu confianza aumentará y tu éxito se volverá más evidente. Simplemente tienes que creer y saber en el fondo de tu corazón que las posibilidades de encantamiento son infinitas, y después permitir que esos deliciosos resultados tengan espacio para crecer.

Hay una antigua regla de las brujas que enseña a quien lance un hechizo el siguiente adagio: saber, atreverse, querer y permanecer callada. Esto se llama la Pirámide de la Bruja. Es, en esencia, la piedra angular de la magia y el encantamiento. Si bien este dicho se ve simple, si echas una mirada a sus principios comenzarás a comprender por qué gran parte de la magia y nuestro Arte tienen que ver con la determinación, la fuerza personal y un modo ético de vivir tu vida.

Cuando separamos esta frase pieza por pieza, y observamos cada uno de los cuatro retos, su significado es mucho más aparente. Aquí vamos:

Saber significa conocerte. ¿Quién eres? ¿Cuáles son tus metas? ¿Qué clase de persona amorosa y compasiva eres? Conócete a ti mismo, estaba escrito en el antiguo templo de Delfos. Es una manera elegante de recordarte que para ser equilibrada y ética necesitas estar tranquila emocionalmente. Asegúrate de saber exactamente para qué lo estás lanzando.

Atreverte quiere decir que tienes valor; estás osando estudiar las artes mágicas y trabajando para crear un cambio positivo. Poner a realizar hechizos y encantamientos es un salto de fe. Debes tener cierta cantidad de osadía para intentar manifestar estos maravillosos cambios en tu vida. Honestamente, la magia es para los individuos audaces y atrevidos. En este segundo paso, estás atreviéndote a ser sabia.

Querer significa expresar determinación y ser inquebrantable. Estás "queriendo" estos cambios positivos y amorosos en tu vida con tu magia, así que debes tener la determinación para lograrlo, además de la fuerza para vivir tu vida como una persona ética y comprensiva. Esta es la prueba de tu fuerza personal, tu voluntad y tu determinación interna para traer un cambio amoroso y positivo en tu mundo, ya que la pura fuerza de tu voluntad es la magia de la intención. Ahora bien, sólo para que las cosas sigan siendo interesantes, la única diferencia entre intención y voluntad es la cantidad de espacio que das a la magia para que tenga oportunidad de obrar. No trates de controlar el resultado. En su lugar, relájate y cree en el trabajo que has hecho. Este tercer paso se trata de tener fe en tu propio poder personal y ser entonces lo suficientemente fuerte para permitir que la magia florezca por sí misma.

Permanecer callada se explica bastante por sí mismo. El silencio es la base sobre la que están construidos los demás principios. Es también el más difícil de lograr. El paso final para lanzar un hechizo exige que esperes tranquila y permitas que el hechizo se manifieste de su propio modo. No pienses hasta la muerte en la magia, y mantente callada respecto al hechizo que llevas a cabo. ¿Por qué? Porque los hechizos son íntimos, cosas muy personales. Si chismorreas nerviosamente a tus amigas diciéndoles que hiciste un trabajo de

44

hechicería para atraer un romance, por ejemplo, esto crea escepticismo entre ellas y puede generar alguna negatividad o celos. Ese tipo de energía negativa mata ese chispazo de esperanza y la cuidadosa energía de tu trabajo de hechicería. Mientras más hables del hechizo, más energía le estás quitando. Así que cierra la boca, no te mueras de la preocupación y permite que se despliegue la magia. Ten confianza.

Hay un viejo dicho en nuestro Arte: "Haz un hechizo y luego olvídate de él." Lo que esto significa es que liberes tu encantamiento y lo dejes desarrollarse mientras crees en tu magia. Sabes que el hechizo tendrá éxito porque osaste tener la voluntad para hacer el cambio positivo. Tienes que estar confiada y tener la mente abierta y dejar que la magia siga su curso natural. Si te sientas y te preocupas por la magia, estás deteniendo el hechizo. Déjalo libre y permítele que efectúe el cambio positivo que imaginaste.

Recuerda ser receptiva y dejar espacio para que todas las posibilidades y los resultados positivos se manifiesten. En conclusión: si realmente crees en la magia y en ti misma, recibirás el resultado por el que estás trabajando.

MATERIALES MÁGICOS Y HERRAMIENTAS DEL OFICIO

Toda chica debe tener sus materiales… y puede sorprenderte saber que los materiales que se usan en nuestro Arte son mucho menos dramáticos de lo que podrías esperar. Puesto que la magia brota de la naturaleza, te será fácil encontrar nuestros materiales. Probablemente tienes muchos de los ingredientes para hechizar en tu casa, tales como velas y hierbas. En su mayor parte, los ingredientes que requerirás serán productos naturales: piedras y cristales, una pluma, una concha, diversas hierbas y flores. Así que no te preocupes. Esto no te costará una fortuna. La magia funciona con la naturaleza, y se conecta con las sutiles energías que son inherentes a los productos naturales más simples.

VELAS Y CONJUROS

> *¡Qué lejos lanza sus rayos la pequeña vela!*
> SHAKESPEARE, *EL MERCADER DE VENECIA*

Ahora hablemos de un material básico en la magia y los encantamientos: las velas. Las velas son una herramienta estándar que se emplea casi para cualquier tipo de encantamiento. Lo fantástico de la magia de las velas es que rápida y limpiamente combinan la magia del color, la luz y el perfume. Tradicionalmente se han encendido para dar la bienvenida a lo divino y simbolizar nuestra conexión con los poderes de la luz y el color. El acto de encender la vela de un hechizo es el de lo sagrado, que entonces irradia para iluminar el resto de tu día.

La vela de hechizo es un símbolo tradicional del poder que tiene el elemento de fuego. En especial para nuestros propósitos, este elemento mágico es excelente para aprovecharlo, ya que el fuego nos trae las cualidades de la calidez, el calor y la iluminación (con ellos puedes trabajar en tus encantamientos de amor). Los hechizos con velas son una parte clásica del repertorio de cualquier Bruja. ¿Por qué? Porque quemar una vela de hechizo es una representación del verdadero hechizo. Mientras la vela arda, está haciendo brillar tus energías de encantamiento hacia el mundo.

Para que tus velas de hechizo se pongan en actividad, utiliza el color correcto. El color posee una influencia poderosa en nuestros estados de ánimo y en nuestro medio ambiente vivo. En nuestro Arte, los colores son también componentes importantes de la magia. Cada tono tiene sus propias correspondencias, usos particulares y únicos para hechizar. Ahora bien, en la siguiente lista, estos colores giran alrededor del tema de este libro: encantamientos de amor. Mientras trabajes en la magia de las velas, te pido encarecidamente que siempre tengas tus velas atendidas y pienses primero en la seguridad. Por favor enciende tus velas con prudencia y en sus candeleros apropiados, y mantén las flamas lejos de objetos inflamables, niños o mascotas curiosas.

Respecto a la forma o el tamaño de la vela para hechizos, bueno, eso te toca a ti decidirlo. Puedes usar una vela votiva, una larga de las que terminan en punta, un pilar, una mini vela para hechizos, o una vela de té. Personalmente, me gusta trabajar mis hechizos con velas votivas, no son caras, vienen en un gran abanico de colores y perfumes, arden durante aproximadamente seis a ocho horas y se consiguen en todas partes. De ese modo, es fácil tener a mano una variedad de colores y esencias.

También debes tener listo un pequeño paquete de velas de té blancas. Estas velas simples y sin aroma son útiles para todos tipos de magia. Las velas de té son prácticas y muy accesibles, ya que vienen en un pequeño recipiente, puedes ponerlas a flotar en agua si lo deseas, y arden aproximadamente de tres a cuatro horas. Todavía me falta conocer una Bruja que no tenga una pila de simples velas de té. Créanme, usarán a esas niñas todo el tiempo.

Tips y trucos para la magia de velas

Aquí tienen unos tips más sobre veladoras, magia votiva y seguridad en general. Estos tips de Bruja te serán útiles, así que léelos antes de que te sumerjas en la magia de las velas.

Tip de bruja # 1: Una buena regla general cuando se trata de magia con velas es recordar que debes trabajar sólo un hechizo por vela; mantiene más puro el propósito. Deja que la vela arda hasta que se extinga. (Sólo cuídala. Nunca dejes velas encendidas sin vigilarlas).

Tip de bruja # 2: Si utilizas velas votivas para tus hechizos, recuerda que se vuelven líquidas en seguida conforme arden. Así que siempre quema las velas votivas en sus vasos. De otra manera, tendrás un charco de cera en toda tu superficie de trabajo.

Tip de bruja # 3: Para quitar fácilmente cualquier cera que quede después de que la vela votiva se queme, prueba esto: antes de encender la vela, coloca una cucharadita de agua en el fondo del vaso de la vela votiva, coloca encima la vela y después enciéndela. Conforme la vela empieza a arder y después a derretirse, el agua crea una bolsa de aire y cuando la vela se termina, puedes desprender con facilidad la cera que queda en el recipiente.

Tip de bruja # 4: El color de una buena vela multiusos es el blanco. Si no tienes el color específico que requiere un hechizo, puedes usar fácilmente una vela blanca en su lugar. La vela blanca dará maravillosos resultados, y es una alternativa sin alboroto ni desorden.

Tip de bruja # 5: La tabla de color que se enlista a continuación es un inventario de color básico. El morado, por ejemplo, puede ir en tonos desde el lila más claro hasta el amatista más fuerte; sin embargo, la definición mágica seguirá siendo básicamente la misma. Una buena regla general que seguir en la magia del color es esta: mientras más pálido el color, la magia es más suave; mientras más fuerte el color, la magia se intensifica.

Y finalmente, he aquí el arco iris de colores para incorporar a tus hechizos de amor. Explora la siguiente tabla de colores, ¡y que fluya la creatividad!

Tabla de colores para hechizos de amor con velas

Rosa: Afecto, amistad, encanto, un primer amor.

Rojo: Amor, deseo, pasión, magnetismo, la Diosa como Madre y el elemento del fuego.

Naranja: Sexualidad, energía, brío y mejor concentración.

Amarillo: Carisma, poderes mentales, comunicación, creatividad y el elemento aire.

Verde: Prosperidad, salud, buena suerte, fertilidad y el elemento tierra.

Azul: Esperanza, paz, emoción, amor, curar un corazón roto, intuición y el elemento agua.

Morado: Poderes psíquicos, espiritualidad y poder personal en aumento.

Plateado: Magia de la Diosa, serenidad, elegancia, sabiduría.

Dorado: El Dios, el sol, éxito, abundancia.

Blanco: Color multiusos, la luna, clarificación, la Diosa como Doncella.

Negro: Soltar, terminar relaciones, protección, la Diosa como Anciana.

VELAS AROMÁTICAS: AÑADE UN TOQUE DE AROMATERAPIA A TUS HECHIZOS CON VELAS

> *¡Pero, suave! Creo que huelo el aire de la mañana...*
> SHAKESPEARE, *HAMLET*

No pensaste que te dejaría esperando con ese comentario sobre las velas aromáticas, ¿o sí? No, te tengo cubierta. Para ustedes que también disfrutan las velas aromáticas, las voy a poner al día rápidamente respecto a algunos de los aromas comunes de las veladoras y los colores que pueden encontrar –y cómo incorporar éstos a tus hechizos. En esta tabla de correspondencias, el aroma se enlista primero, seguido por el color de la vela en paréntesis. Después se encuentra la magia más adecuada a la combinación del color y el aroma. Continuando con nuestro tema, todos ellos giran alrededor del tema del amor y el romance.

Esencia de manzana (rojo): Amor, salud y curar un corazón roto.

Esencia de blueberry (azul): Proteger una relación, protección personal y curar una riña entre enamorados.

Esencia de canela (café o rojo): Pasión, energía, prosperidad y amor.

Esencia cítrica (amarillo o naranja): Limpiar viejos sentimientos heridos y promover comienzos nuevos.

Esencia de gardenia (blanco/color hueso): Este aroma pasado de moda trae el amor, la paz y la curación.

Esencia de lavanda (morado): Limpiar, abandonar viejas ideas y emociones trasnochadas y fomentar la protección.

Esencia de lilas (morado): Para un primer amor, fomenta el favor del reino de las hadas y protege un amor verdadero. El aroma de lilas es también un poderoso aroma limpiador. Úsalo cuando sientas que has sido expuesta a los celos o a la negatividad.

Esencia de pachuli (negro): El pachuli tiene muchos usos. Puede ser un aroma estimulante sexualmente y también se puede utilizar con el color negro para la protección. Usa este combo de color y aroma para terminar con una relación enfermiza, para romper un hechizo de amor que se ha estropeado y para desvanecer.

Esencia de pino (verde oscuro): Trae el poder y la riqueza del elemento tierra. Esto fomenta la fertilidad, la prosperidad y las relaciones saludables.

Esencia de calabaza/especias (naranja): Este aroma fomenta hogares felices, amor familiar y un sentido de recompensa y prosperidad. Es una buena esencia para celebrar la recompensa que el amor ha traído a tu vida.

Esencia de rosa/floral (rosa): Amor inocente, flirteo, romance, fomentar nuevas amistades. Esta esencia es calmante y el color suave ayuda también a curar una amistad rota.

Esencia de rosa (rojo): La clásica combinación del hechizo de amor. Ésta trae amor, romance, sensualidad y pasión.

Esencia de sándalo (blanco): Para la espiritualidad y el sexo. También aumenta tu poder personal.

Esencia de vainilla (blanco/color hueso): Tradicionalmente, esta esencia es un viejo truco de Cocina de Brujas para fomentar el amor y el deseo en los hombres (¿recuerdas a tu abuela aplicándose extracto de vainilla detrás de las orejas?). También las esencias de vainilla se pueden usar para celebrar la comodidad del amor y promover un ambiente hogareño amoroso.

Un hechizo simple de velas aromáticas:
Encuentra tu bondad interna

He aquí un simple hechizo de confianza en ti misma para que lo intentes. Éste te ayudará a mantener fluyendo esos jugos mágicos y puedes trabajar con él siempre que lo desees, cualquier día y a cualquier hora. Además, estoy segura de que estás impaciente por probar tu suerte en un hechizo o dos, así que aquí vamos. Este hechizo te ayuda a expulsar los pensamientos negativos respecto de ti misma o cualquier denigración interna que estés cargando. Hablamos sobre esto en el primer capítulo, ¿te acuerdas? Silencia tu autocrítica. Eres una Diosa, una mujer hechicera y encantadora. ¡Así que comienza a actuar como tal!

Todo lo que necesitas para este hechizo es una vela votiva, un vaso para la vela votiva que combine, un cuadro tuyo (puedes usar la foto que ahora se encuentra en tu altar de amor), y un encendedor o cerillos. Prepara este hechizo en tu altar. Si quieres emplear un poco de aromaterapia mientras lo estás llevando a cabo, puedes utilizar una vela con esencia de vainilla o simplemente añade una gota de extracto de vainilla a la vela antes de encenderla. (Sí, eso que usas para cocinar. Está en tu alacena de la cocina. ¡Te dije que estaríamos usando cosas simples y naturales de las que hay por la casa!) Ahora vamos con la esencia de vainilla, ya que se usa para celebrar el amor y su esencia reconfortante, que es justamente el boleto de este hechizo.

Enciende tus velas de iluminación. Después pon tu vela de vainilla en su soporte. Si no tiene olor, añade una gota de extracto de vainilla arriba de la vela. Ahora coloca tu foto frente a la vela. Quiero que te imagines feliz, confiada y exitosa. Mírate brillando de confianza y alegría.

Cierra los ojos e imagina un pequeño destello muy profundamente, dentro de tu corazón. Sácale una flama hermosa y brillante. Ahora enciende la vela de vainilla, coloca tus manos sobre tu corazón (donde está brillando el destello interno) y repite tres veces estos versos:

Mientras el aroma de vainilla flota a mi alrededor
no habrán más inseguridades ni dudas
conforme esta vela se quema, que brille mi luz interior
me veo por fin tal como soy: ¡una divina Diosa!

Cierra el hechizo con estas líneas:

Para el bien de todos, sin daño para nadie
¡Por la brillante magia del fuego, este hechizo está terminado!

Deja que la vela arda hasta que se extinga sola. Si lo deseas, este hechizo puedes repetirlo tan a menudo como quieras; una vez al día o una vez por semana, cuando necesites levantar tu auto-confianza.

EL RITMO ES TODO:

MAGIA DE LA LUNA

Hay algo de embrujo en la luz de la luna;
posee todo el desapasionamiento de un alma descarnada,
y algo de su inconcebible misterio.
JOSEPH CONRAD

Si realizas tu magia con los ciclos de la naturaleza y no contra ellos, tus hechizos y encantamientos se desarrollarán más suavemente. Un aspecto poderoso que se debe considerar en la realización de hechizos es la magia lunar, que incluye las fases y los ciclos de la luna y las correspondencias astrológicas diarias.

Para el practicante mágico, conectar con la energía lunar es una manera simple y profunda de añadir mayor poder a tus encantamientos y hechizos mágicos. La luna se asocia con la Diosa y con los misterios de la mujer. Como mencionamos en el primer capítulo, la Diosa es una triple deidad; su personalidad posee tres rasgos distintos. Es vista como la Doncella, la Madre y la Vieja sabia, y cada uno de estos aspectos corresponde a una fase lunar específica.

La Doncella se vincula con la luna creciente, el delgado cuarto creciente que vemos en el cielo de la tarde. Parece una sonrisa hacia el este, justo al atardecer. Conforme transcurre la noche, la luna aumenta de forma y se encuentra más en lo alto del cielo. El aspecto Materno de la Diosa está conectado con la luna llena, que se eleva por el este al anochecer. La Vieja corresponde a la luna menguante. La luna menguante se levanta a una hora más tardía de la noche y lentamente se va encogiendo para volver a ser luna creciente, con sus puntas señalando hacia la tierra.

Si eres nueva en la magia, los términos lunares de creciente y menguante pueden confundirte. Sólo piénsalo de esta manera: conforme la luna crece, se vuelve más grande y brillante cada noche. Cuando mengua, pierde su redondez y se vuelve más pequeña y oscura. Abajo encontrarás las definiciones de las tres principales fases de la luna, la energía de la Diosa y los encantamientos de amor que corresponden a cada fase. Si te estás preguntando cómo sabrás en qué fase se encontrará la luna, te sugiero consultar internet, tu periódico local o cualquier calendario mágico o lunar para tener la información y después hacer tus planes de acuerdo con ésta.

Luna creciente: (De nueva a llena, primero a segundo cuarto). Asociada con la Diosa Doncella, esta es una fase para los comienzos, un tiempo para crecer y para construir energía mágica. Lanza ahora hechizos para mejorar tu apariencia y para el misterio, la tentación y la atracción. Conforme la luna se llena cada noche, esta fase se utiliza para atraer hacia ti los cambios positivos.

Luna llena: (La fase de la luna llena dura tres días: la noche anterior a la luna llena, el día en que está llena y la noche posterior). La luna llena se asocia con el aspecto Materno de la Diosa. La luna llena es una fase lunar multiusos, y como es de esperarse, es la más poderosa. Los hechizos para la atracción, la fertilidad y la manifestación se trabajan mejor en esta fase. Asimismo, los hechizos y encantamientos para la pasión, el poder, el amor y la vida son complementarios. Esta es una época de celebración, magia y agradecimiento.

Cuarto menguante: (Desde el día posterior a la luna llena, al lado oscuro de la luna —la tercera y la cuarta fase lunar). Puesto que la luna disminuye su tamaño en el cielo de la tarde, esta época de la luna menguante se asocia con la Diosa como la sabia y compasiva Vieja. Es esta la fase cuando lo mejor es ver adentro de ti misma y soltar viejas percepciones, desterrar viejas ideas y malos hábitos o disolver suavemente relaciones que te han quedado pequeñas. Lanza ahora tus hechizos para expulsar, soltar o desterrar problemas de tu vida.

Hechizo de luna llena con velas de té: para la belleza y la alegría

Te prometí unos cuantos hechizos simples para que practiques, ¡así que aquí van! Este hechizo necesita realizarse en la noche de luna llena. Así estás aprovechando un momento mágico poderoso para poner en marcha este hechizo. Los elementos que necesitas son poco complicados y prácticos.

Por favor toma nota: las velas de té necesitan aproximadamente cuatro horas para consumirse. Puedes realizar este hechizo adentro, en tu altar de amor, o afuera. Sólo asegúrate de que traigas la vela de regreso a tu casa para poderle echar un ojo en lo que se consume sin peligro.

MATERIALES

- 1 vela de té blanca simple, en su pequeño recipiente de metal
- 1 pequeño plato de cerámica o un pequeño plato térmico
- Un recorte de papel de 2 x 2 pulgadas y una pluma
- Encendedor o cerillos
- Una vista de la luna llena

INSTRUCCIONES

Coloca todo en un lugar desde donde puedas ver la luna llena; si es posible, permite que la luz de luna se filtre a tu altar de amor/espacio de trabajo. En tu recorte de papel escribe lo siguiente: "Que la belleza y el amor llenen mi vida." Después añade tus iniciales al papel. Dobla el papelito y levanta la vela de su recipiente. Coloca el recorte de papel en el fondo del recipiente de la vela. Coloca de nuevo la vela en el recipiente, arriba del recorte doblado.

Después, coloca el recipiente sobre el plato y date unos momentos para centrar tus pensamientos. Deja que todas las tensiones y los problemas del día simplemente se vayan. Una vez que te sientas centrada, respira profundamente y exhala el aire despacio.

Ahora coloca tu rostro a la luz de la luna llena y susurra un agradecimiento sincero a la Diosa. Prueba algo como "Hola, Señora Luna" u "Hola, Madre" –lo que te sientas inspirada a decir como agradecimiento estará bien. Después enciende la vela y repite el hechizo tres veces:

> *Pequeña vela de té, que ardes cálida y brillante*
> *dame tu magia en esta luna llena*
> *para que yo camine bella cada día*
> *de la mejor manera posible trae alegría a mi vida*

Cierra este hechizo de la luna llena con estas líneas:

> *Por todo el poder de tres veces tres,*
> *como yo lo deseo, así será.*

Deja que la vela arda en un lugar seguro hasta que se consuma. Si es necesario, recoge el plato y traslada la vela adentro de la casa. Una vez que la vela de té se haya consumido, notarás que la cera selló tu pequeño recorte de papel al fondo del pequeño recipiente. Tu hechizo está sellado y trabajando. Puedes ahora tirar el recipiente de metal a la basura. Guarda el resto de tu material y ordena todo. Mantén tus ojos abiertos y espera que la belleza y la alegría se manifiesten en tu vida. Pon atención y nota cómo la luna tiene una influencia en tu vida y en tu intuición femenina, así como en tus emociones.

LOS DÍAS DE LA SEMANA DE LA BRUJA:
LAS CORRESPONDENCIAS DIARIAS

Mira los días dorados, fructíferos en doradas hazañas
Cuando triunfan la alegría y el amor.
JOHN MILTON

¡Oh, te puedo escuchar... afligiéndote porque te perdiste la luna llena más reciente! Puedes estar muerta del pánico porque tal vez necesitas una luna creciente y actualmente estamos en una fase lunar menguante (o viceversa). Así que, si no quieres esperar unas semanas para que la luna se encuentre en la fase correcta, ¿qué podrás hacer?

Usa lo que tienes. En lugar de la luna, te puedes centrar en los siete días hechiceros de la semana. Mucha magia se puede hallar en esos días, del domingo al sábado.

Ahora que manejas las fases de la luna y su magia, demos el siguiente paso y estudiemos las correspondencias diarias. Esta es una nueva fase en tus lecciones sobre los encantamientos amorosos. Eventualmente podrás combinar esta información conforme hagas tus propios hechizos, encantamientos y rituales personalizados. Como mencioné, cada día de la semana hechizada está regido por un planeta diferente. Cada día de la semana individual posee sus propias correspondencias astrológicas y mágicas, incluso sus propias especialidades cuando se trata de hechizos de amor.

El truco es aprovecharlos y aprender a utilizar esta magia a tu favor. Una Bruja siempre encontrará la forma. Por ejemplo, el lunes es el día de la semana dedicado a la luna y a la magia femenina. (Lo que significa que, en caso de apuro, el hechizo de la vela de té que hicimos podría ser efectuado cada lunes, puesto que es el día de la luna, o el viernes, día que corresponde al planeta Venus, para estimular la belleza). Como ves, tienes más opciones para lanzar hechizos.

Para quienes no queremos esperar unas cuantas semanas a que la luna se encuentre en una fase cualquiera, un lunes podría resultar igualmente fantástico para un encantamiento de tema lunar. Lo mismo puede ser verdad si necesitas expulsar de tu vida una situación o persona problemática. No tienes que esperar a la luna menguante, puedes trabajar el hechizo un sábado, el día de la semana en que se realiza magia para liberar viejas relaciones, expulsar la negatividad y deshacer los problemas.

Así que, sin más preámbulo, he aquí las correspondencias mágicas diarias. Lo que hace de esta lista algo único es que está alineada con los tópicos y los temas del amor, la atracción, el deseo y el romance. Léela con cuidado y tómate tu tiempo para asimilar la información. Encontrarás los planetas, símbolos, información sobre la Diosa, colores, hierbas y otra información diaria muy útil para tus hechizos. Asimismo, la próxima vez que te estés preguntando qué clase de hechizos puedes llevar a cabo en cualquier día de la semana, podrás saberlo de una ojeada.

ENCANTAMIENTOS DIARIOS PARA EL AMOR Y EL ROMANCE

> *Y todos mis días son trances*
> *y todos mis sueños nocturnos*
> *están donde mira tu mirada oscura*
> *y donde destellan tus pasos.*
> EDGAR ALLAN POE

Domingo

Realiza hechizos en este día para lograr el éxito, el reconocimiento, la victoria, las bendiciones, buena forma y fama. Los domingos tratan del éxito, los logros personales y el sentirte bien respecto a quién eres. Si estás empezando una dieta, una vida más saludable o un nuevo programa de ejercicios, el domingo es el día para arrancar hacia tus metas con un poco de magia solar poderosamente triunfante.

58

Influencia astrológica/planetaria: El sol
Símbolo planetario: ⊙
Diosa: Brigit, diosa celta de la inspiración, la luz y el fuego.
Colores de velas: Amarillo y oro (amarillo para ayudar a la expresión propia y para la luz del sol y la energía curativa; oro para la fama, la victoria, la riqueza y el éxito).
Hierbas y flores: Hierba del Espíritu Santo, caléndula, girasol, clavel y ranúnculo.
Alimentos y especias: Naranja y canela.
Cristales, piedras y metales: Cornalina, diamante, ámbar, ojo de tigre, cristal de cuarzo y oro.

Lunes

Realiza hechizos en este día para los misterios femeninos, la magia lunar, controlar tus emociones, mejorar la intuición, añadir un sentido de misterio a tu persona y para el glamour. El glamour es una suerte de impulso mágico a tu apariencia. (Hablaremos con mayor detalle del glamour en el capítulo 6).

Influencia astrológica/planetaria: La luna
Símbolo planetario: ◑
Diosa: Selene, diosa grecorromana del encantamiento, la luna y la magia.
Colores de velas: Blanco, plateado y azul pálido para un poco de serenidad femenina y los misterios de la luna. Estos colores brillantes y lunares son perfectos para cualquier hechizo en un lunes místico y lunar.
Hierbas y flores: Jazmín, malva, gaulteria, azucena, rosa blanca y gardenia.
Alimentos y especias: Melones, coco y menta.
Cristales, piedras y metales: Piedra lunar, perla y plata.

Martes

El martes se considera un día con energía masculina. Realiza hechizos para la pasión, el sexo, la seducción, el valor, la energía y la fuerza para luchar por lo que crees. Si necesitas invocar un poco de valor para tu vida, el martes es el día. También si quieres lanzar un hechizo muy caliente para estimular un sexo apasionado y loco entre tú y tu amante, invoca a Lilith, no te defraudará. ¡La noche del martes puede convertirse en tu noche preferida de la semana!

Influencia astrológica/planetaria: Marte

Símbolo planetario: ♂

Diosa: Lilith, diosa sumeria (Lilith es una diosa alada de la seducción).

Colores de velas: Aquí tenemos una combinación fuerte y decidida de colores mágicos a escoger: rojo (para la pasión), negro (por el lado oscuro del amor) y naranja (para la energía: la vas a necesitar).

Hierbas y flores: ortiga, acebo, cardo, anémona, boca de dragón y yuca.

Alimentos y especias: Ajo, pimienta de jamaica, pimienta y jengibre.

Cristales, piedras y metales: Heliotropo, granate, rubí y acero.

Miércoles

Realiza hechizos para la versatilidad, la comunicación, el ingenio y la sabiduría, el movimiento, la buena suerte, ¡y para apurar las cosas! Y si necesitas sacudir las cosas, conocer gente nueva y hacer que los asuntos avancen, el miércoles es el día.

Influencia astrológica/planetaria: Mercurio

Símbolo planetario: ☿

Diosa: Iris, la diosa mensajera grecorromana del arco iris y la comunicación (Iris es la contraparte femenina de Mercurio, el mensaje de pies alados de los dioses).

Colores de velas: Morado y naranja son los tradicionales del planeta Mercurio, o podrías usar una vela coloreada como arco iris para Iris.

Hierbas y flores: Lirio, helecho, lavanda y lirio del valle.

Alimentos y especias: Almendras, frijoles, eneldo y perejil.

Cristales, piedras y metales: Ópalo, ágata, venturina y azogue.

Jueves

Realiza hechizos en jueves para alcanzar tus metas de largo plazo, animar la prosperidad, atraer un sentimiento de confianza y prestar a tu apariencia un aura de extravagancia y soberanía. El jueves es también un buen día para impulsar tu confianza y celebrar la riqueza y la recompensa de una relación amorosa.

Influencia astrológica/planetaria: Júpiter
Símbolo planetario: ♃
Diosa: Juno Moneta, la diosa de la maternidad romana.
Colores de velas: Tanto el verde como el azul real se asocian con Júpiter; úsalo para la prosperidad, la confianza y la soberanía.
Hierbas y flores: Hojas de roble, diente de león, madreselva, lirio, hisopo y filipéndula.
Alimentos y especias: Salvia, clavos y nuez moscada.
Cristales, piedras y metales: Zafiro, amatista, turquesa y estaño.

Viernes

Lanza tus hechizos para la amistad y la felicidad en un viernes. Los hechizos para la atracción, el amor, la belleza, la fertilidad, el lujo, el romance y el placer armonizan todos con la energía del viernes. El viernes es el gran día para el romance y la seducción dulce y amorosa.

Influencia astrológica/planetaria: Venus
Símbolo planetario: ♀

Diosa: Freya y Afrodita/Venus. Freya era la diosa escandinava de la Brujería, el amor y la magia. Afrodita era la versión griega de la Venus romana. Afrodita/Venus es venerada como diosa de la belleza, el amor y la sexualidad.

Colores de velas: El rosa y el verde agua son tradicionales del planeta Venus. El rosa es un color suave y romántico y el verde agua atrae a la mente el color del mar del que Afrodita/Venus surgió en su nacimiento.

Hierbas y flores: Hierba de los gatos, atanasia, violeta, matricaria, lila, geranio, rosas y tulipán.

Alimentos y especias: Durazno, manzana, fresa, caña de azúcar, tomate, tomillo y vainilla.

Cristales, piedras y metales: Cuarzo rosa.

Sábado

Lanza tus hechizos en sábado para quitar obstáculos, para protección, para terminar relaciones suave pero firmemente o para desvanecer los problemas. También debería mencionar aquí que el sábado es también el día para romper los hechizos que no tuvieron el éxito que esperabas. Pero ya que tú eres lo suficientemente inteligente como para pensarlo bien antes de realizar hechizos sin recurrir a la manipulación, dudo que ese tema nos interese.

Influencia astrológica/planetaria: Saturno

Símbolo planetario: ♄

Diosa: Hécate, la deidad grecorromana de las encrucijadas, la transformación y la magia.

Colores de velas: El negro y el morado oscuro se asocian con Saturno, ya que ambos son colores mágicos poderosos y protectores.

Hierbas y flores: Hiedra, gordolobo, lobelia, eléboro, campanilla y pensamiento.

Alimentos y especias: Remolacha, membrillo y granada.

Cristales, piedras y metales: Obsidiana, hematita, azabache, plomo.

Capítulo 3
Encantado, estoy segura: cómo atraer a un nuevo amor

La veo en las flores cubiertas de rocío,
la veo dulce y hermosa;
la escucho en las aves melodiosas,
escucho cómo hechiza el aire.

Robert Burns

uando empecé este capítulo, recurrí a una fuente de información antigua y confiable: el diccionario. A veces necesitas retornar a lo básico y buscar la palabra y sus significados esenciales. Así, mientras hojeaba el Webster's New Collegiate Dictionary y el American Heritage Dictionary para leer las diversas definiciones de la palabra encanto, las encontré de lo más iluminadoras. Lean las siguientes descripciones y considérenlas cuidadosamente:

> *Encantar*: Afectar como si fuera por medio de magia: un acto que tiene magia o una expresión que se cree con poderes mágicos; incitar. 2. Agradar, aliviar o gustar mediante atracción incitante. (intr.) 1. El canto o recitación de un hechizo mágico. 2. Un rasgo que fascina, encanta o se goza. 3. Practicar la magia; un encantamiento.

En los primeros capítulos, hablamos de un concepto muy importante en la magia ética del amor y el romance: una Bruja atrae y conduce hacia ella lo que desea —no persigue a un hombre. Esta energía persuasiva y muy natural es un brote de magnetismo personal, que abordamos en el capítulo anterior. Hacia lo que nos dirigimos con este trabajo es a que te vuelvas tan encantadora, tan cautivadora, que el potencial compañero romántico elegido se sienta muy atraído hacia ti completamente por sí mismo. Serás una delicia para él trabajando tu encanto personal. En otras palabras, quedará completamente fascinado por tu personalidad y tu apariencia, y tan fascinado por todo el paquete, que te seguirá libremente.

Así que, sí, será afectado por la magia. La sutil y la más poderosa de las brujerías, aquella habilidad que toda mujer posee, es la de encantar.

Coqueteo y encanto

Tú sabes lo que es el encanto; es una manera
de que te respondan sí
sin tener que plantear claramente
ninguna pregunta.
Albert Camus

Coquetear es una forma de la interacción humana que a menudo expresa un interés romántico en la otra persona. El coqueteo puede consistir en la conversación, el lenguaje corporal o un breve contacto físico. Se utiliza como una manera de expresar un interés en la otra persona y suavemente probar la temperatura para descubrir si la otra persona está interesada en el cortejo.

El encanto es un elemento importante en el coqueteo. Cuando añades encanto al flirteo, puedes ganar incluso a los hombres más rudos y exitosos. Y cualquier mujer puede coquetear. (De hecho, dos tercios de los cortejos son iniciados por mujeres). Con el coqueteo, la misma talla les queda a todos. Puedes ser tímida o atrevida; no importa. Lo que importa es que poseas una insinuación de deseo y una chispa de diversión en los ojos.

Ese proceso comienza tan sólo siendo amistosa. Estar abierta y accesible invita a la gente a acercarse. Una mujer que ha dominado el arte del flirteo estará confiada en sí misma y segura. Debes disfrutar presentarte ante los otros. Sé cálida, amistosa y transmite encanto. Los hombres quedan atraídos por una sonrisa amistosa, un toque de humor, y una mujer que tiene la suficiente confianza para verlos directamente a los ojos cuando les habla.

Se recomienda que limites el contacto visual a sólo un momento. De otra manera, el contacto visual extendido se ve como signo de agresión o de emoción intensa. Así que haz contacto visual cuando te estés presentando, mantenlo por un momento, sonríe y después rompe el contacto visual. No tienes que ser ultra-agresiva, puedes agarrar a un hombre desprevenido simplemente siendo encantadoramente tú. Si te están presentando o te estás presentando, destella una sonrisa amistosa y ofrece tu mano con un agradable saludo.

Puedes practicar tu flirteo romántico trabajando con tu flirteo verbal. Tu manera de tratar a la gente en la vida diaria es un excelente modo de ejercitar esas habilidades para el coqueteo, El coqueteo es una amabilidad, un halago y una habilidad social; el coqueteo no es una maniobra sexual. Con cualquier tipo de flirteo, puedes hacer sentirse muy bien consigo misma a las otras personas. Y a tu vez, volverte más accesible.

Existe un poder en el hecho de ser mujer y ser femenina. En su nivel más básico, hace a los hombres sentirse más varoniles. Ser femenina no es una expresión peyorativa. Tu puedes ser sexy, graciosa, ingeniosa, amigable y ser una mujer empoderada. Toda la gente se siente atraída a aquellos que sonríen, ríen, tienen un buen sentido del humor y son agradables y optimistas. Eso te hace resaltar. Te vuelves interesante y fascinadora. Cuando flirteas, de hecho estás trabajando para fascinar a la otra persona con tu encanto y personalidad.

Deberías ser muy selectiva en la elección del blanco de tu flirteo. Coquetea con intención, que es lo opuesto a coquetear porque sí, que es otra forma de recordarte que no dañes a nadie y evites la manipulación. Si sólo coqueteas cuando lo sientes, y con amabilidad en lugar de cálculo, notarás una gran diferencia en las reacciones de los hombres. Principalmente, serán mucho más positivas.

El arte del coqueteo está diseñado para hacer resaltar tus propias cualidades fascinantes y dejarlas brillar de modo que los otros puedan ser atraídos hacia ti por su propio interés y libre voluntad. Cuando la gente te conoce por primera vez, su impresión inicial se basa en tu apariencia y tu lenguaje corporal. De hecho, cerca de la mitad de su impresión general está basada sólo en esto. Lo que sigue en la lista es tu estilo para hablar, que cubre una tercera parte de su impresión respecto a ti. Finalmente, sólo un poquito de lo que realmente tenías que decir figura en sus impresiones generales, así que dar una buena impresión es crucial.

El flirteo toma lo ordinario y lo vuelve extraordinario. Es un arte de confianza sutil. Recuerda que es una manera de conectar desde el corazón y mostrarle al otro que te gustaría tener la oportunidad de conocerlo. Sé amable, sé generosa y ¡diviértete un poco de manera inocente!

69

Flirteo 101

Le cantaré, cada primavera a ella
y anhelaré el día en que me aferraré a ella
hechizado, preocupado y confundido estoy...
Lorenz Hart, *Bewitched, Bothered and Bewildered*

El flirteo es, en su mayor parte, no verbal. Significa ponerte esa ropa matadora que te hace sentir poderosa y sexy. Es esa mirada de soslayo que cruza la habitación, una mano que se desliza por el cabello suave y fragante, una sonrisa encantadora. Estas son brujerías sutiles, y están formadas de componentes psicológicos, verbales y sensuales. A continuación te daré las principales técnicas de flirteo. Siéntete libre de utilizarlas en diferentes escenarios, según lo justifique la ocasión. Sólo recuerda tomarte tu tiempo, ir lentamente. No asustes a tu potencial compañero romántico insinuándote muy fuerte o muy rápido. Déjales preguntarse quién eres.

Estos coqueteos comienzan muy suavemente. Van desde las sugerencias sobre tu apariencia personal hasta el contacto inicial. Conforme la lista avanza, el grado de coqueteo se eleva a un nivel más serio e intenso. Estas técnicas de flirteo recorren el espectro desde: "¡Aquí estoy!" a: "¿No te gustaría tenerme?" y hasta: "¡Ven por mí, grandulón!"

Usa tacones altos. Encuentra un par de tacones cómodos y favorecedores, y úsalos. Son favorecedores para las piernas y a los hombres les encantan los tacones altos. También te hacen caminar de manera completamente diferente a cuando estás brincoteando por ahí con tenis. Con los tacones te moverás de manera más decidida, un poco más despacio. Es uno de los misterios de la vida, pero las mujeres se sienten más altas, más sexies y más poderosas en un gran par de tacones —y los hombres se dan cuenta.

Enseña un poco de pierna. Ponte una falda o un vestido con el que enseñes las piernas. No tiene que ser súper corto o tener una abertura en el muslo para ser sexy. Busca lo encantador y de buena clase. Usa el estilo y el largo de falda con el que te sientas muy bien.

Usa lápiz de labios. Una boca pintada es una boca sexy. Ya sea que te decantes por los tonos miel pálidos o por el rojo profundo, oscuro, el lápiz labial atrae la atención a tu boca, y hay algo con las bocas pintadas que provoca a los hombres. Esta brujería sutil te vuelve más encantadora y anuncia: "Aquí estoy." "¿No te gustaría tenerme?", todo al mismo tiempo.

Píntate las uñas. Ya sea que tengas uñas largas o cortas, arréglatelas y píntatelas. Si tienes uñas cortas, trata de pintarlas de un color suave, casi transparente. Hace que tus uñas se vean limpias y bonitas y tus manos serán elegantes y atractivas. Si te sientes más atrevida, pinta esas uñas de rojo fuerte, incluso de tonos más oscuros de color vino, violeta o ciruela. (Por favor, evita el barniz de uñas desconchado, ¡es tan chabacano! Date tiempo para arreglarte la manicura antes de salir). También, ponte crema humectante en las manos. No, no estoy bromeando. Pone la piel suave y tersa. De esta manera, cuando gesticules con las manos él notará que te cuidas bien.

71

Viste de negro. Siempre está de moda; es sexy, misterioso ¡y adelgazante!

Usa un tono de rojo. Si te las puedes arreglar con un vestido de sirena rojo brillante, un traje o un sweater, ¡póntelo! ¿Es mucho para ti el rojo brillante? Entonces viste tonos más oscuros de rojo, de carmesí a vino. ¿Qué tal rosa oscuro? Si el tono le va bien a tu complexión y tono de piel, pruébalo. El tono rosa oscuro hará que te notes.

No te sientes con otras mujeres durante toda la noche. La mayoría de los hombres probablemente no se te van a acercar si estás parloteando en medio de un grupo de chicas. Circula por la habitación y busca una oportunidad para presentarte.

Contacto visual breve y repetido. El "ya te vi; ¿me ves?" Vuelve a mirarlo unos minutos después y checa si te está mirando.

¡Sonríe! (Te sorprendería saber cuán a menudo pasamos esto por alto!)

Contacto visual y una sonrisa. Esto es por los momentos de "¡Hey! ¡Está mirando!" Ahora que tienes su atención, voltea de nuevo, míralo a los ojos y sonríe.

Mira por encima del hombro y sonríe. Esta es una señal clásica de que estás interesada en él. También se ve glamorosa y fantástica. Así que, mientras circulas, voltea y lánzale una sonrisa discreta por encima del hombro.

72

Levántate, ve y preséntate. Con una sonrisa y confiadamente. No puedes sentarte nada más y esperar a que él se abra camino. ¿Qué eres, una heroína victoriana salida de una novela romántica o algo así? ¡Sal, chica!

Dile un halago, recibe una sonrisa. Ahora que ya te presentaste, prueba a decir un halago: "Me encanta esa corbata", o "tienes un color de ojos muy interesante". Cosas así. Sé amable y encantadora.

Bromas ligeras, intercambio de cumplidos. Esto ocurre generalmente después de la etapa del cumplido de presentación y las sonrisas mutuas.

Cuida tu lenguaje. Ciertamente todos perdemos los estribos a veces y soltamos un vocabulario rico en improperios

—sin embargo, cuando se trata de encantar a un hombre, dudo que lo vayas a cautivar maldiciendo como un cantinero.

Susurra. Eso los acerca.

Guiña el ojo. Un sabroso guiño, un movimiento de la cabeza, y definitivamente has captado su atención.

Juega con tu pelo. Tu cabello es tu corona de gloria, y a menudo es una herramienta descuidada a la hora del flirteo. Acaricia tu pelo suavemente o acomódalo un poco detrás de la oreja, despacio. Las palabras clave aquí son suavemente y despacio. Que estos movimientos sean lujosos, como si tuvieras todo el tiempo del mundo. Tú quieres enganchar su atención, no hacer que se acobarden y se vayan porque estás agitando tu pelo como si estuvieras en un comercial de shampoo.

Cruza las piernas. Arquea tu espalda con suavidad y cruza tus piernas a lo alto. Luego pasa lentamente la mano por tu muslo un momento. Ahora checa su reacción.

Míralo de pies a cabeza, asiente con aprobación y luego sonríe. Esta señal pertenece a la de "ven a por mí".

Lámete los labios, despacio. Sí, esta cae en la de "ven a por mí", también. Si estás haciendo esto deliberadamente, entonces lo vas a confundir. Así que asegúrate de que esto es lo que —y a quien— quieres antes de lanzar este flirteo abiertamente sexual.

73

Toca. Finalmente, y no menos importante, llegamos al "tacto". Este puede ser utilizado en diversos grados, desde tocarle ligeramente el brazo mientras estás hablando, hasta hacer correr tu mano por la solapa de su traje o arrastrar la punta del dedo por su brazo mientras mantienes el contacto visual. (Ahora sabes por qué es importante que tus manos se vean bonitas —si lo tocas, va a ver tus manos). En la etapa del flirteo, recomiendo que sólo lo toques brevemente, limitándote a tocar su brazo o su hombro, y que mantengas el ánimo ligero, juguetón y amistoso.

ENCANTO Y CORTEJO

El flirteo para cortejar es el recato,
la ciencia femenina de atraer a un hombre
dulcemente hasta que se enamora
con locura y de manera ineludible.

RHONDA RICH, *WHAT SOUTHERN WOMEN KNOW ABOUT FLIRTING*

En el mundo de hoy, nos movemos en el lado físico de una relación a la velocidad de la luz, lo que puede arruinar la posibilidad de una relación a largo plazo. Tú quieres incitar a un hombre y fascinarlo después. Sé un poco misteriosa, no lo des todo demasiado rápido. No estoy sugiriendo que provoques al hombre al punto de la explosión o que te aguantes para siempre, pero palabra de honor que hazlo trabajar por ello. ¿No vales un poco de esfuerzo extra? Los hombres adoran la emoción de la caza y la intriga de la persecución. Un poco de anticipación es bueno para el alma. Forma parte de la naturaleza humana el querer algo más, especialmente si los hombres tienen que cortejar, esperar y trabajar por ello.

Recuerda que los hombres en una cita tienden a pensar más o menos en términos de cazar, explorar, perseguir y capturar. Si das todo de una vez, por decirlo así, ¿dónde está el reto? ¿Dónde está la diversión? Ahí no hay misterio, y probablemente él va a aburrirse rápidamente y pasar a la siguiente mujer. Así que una vez que has obtenido su atención y ha comenzado el cortejo, ¿cómo lo mantienes interesado hasta estar segura de que merece tu corazón y tu cuerpo?

Bueno, continúa siendo esa mujer encantadora que eres, y dale tiempo de florecer a la relación. Si es digno de ti, no le importará esperar un poco. Puedes incluso hacerle pensar que la sección del programa que corresponde al coqueteo, el cortejo y la espera es toda idea suya. (Que lo sea o no, depende del individuo). Sin embargo, una mujer inteligente lo deja pensar que él está haciendo todas las jugadas. Guía a su compañero con suavidad, buen humor y amor. Por lo general, un hombre muy enamorado es demasiado feliz como para darse cuenta de que no es él quien dirige las cosas —sólo piensa que lo es, que la Diosa lo bendiga.

Tener un fuerte sentido de la autoestima es un factor crucial cuando estás trabajando en tu encanto, ya que una vez que has enganchado el interés de un hombre, necesitas más que eso. El aspecto y la atracción no te llevarán más lejos del contacto inicial. Una vez que has llamado la atención de un hombre y ha comenzado la etapa de "vamos a conocernos mejor", tendrás a tu vez que subir las apuestas, por decirlo así. ¿Cómo lo haces? Comienzas dándole toda tu atención, permitiendo que tu personalidad única destaque verdaderamente y siendo tu propio pequeño ser fascinante.

Esto se llama la fase del cortejo, y no la pases por alto ni la pases tan rápido. El cortejo tiene toda una magia en sí mismo. En la sección que sigue, encontrarás unas cuantas

ideas embrujadoras para que las cosas se mantengan en movimiento y mantener el interés mientras te encuentras en la fase
del cortejo/salir juntos de la relación. Ahora es el momento de
aprovechar lo que naturalmente tienes y utilizarlo en tu favor.
En el capítulo 1 hablamos de la auto-estima y de encontrar a
la Diosa adentro de ti. Aquí es donde lo llevarás a la práctica.

La fascinación, qué es y cómo hacerla trabajar

> *Hay una línea entre el amor y la fascinación*
> *que es difícil de ver en una noche como esta.*
> Ned Washington, *My Foolish Heart*

El significado clásico de fascinación es la capacidad de parali-
zar a alguien y mantenerlo hechizado por un poder irresistible. Esta definición tradicional hace que muchos practicantes
concienzudos de nuestro Arte se horroricen: "¡Aaaay! ¿Dijo
hechizado? ¿Qué pasa con el libre albedrío? ¿Qué hay sobre
la manipulación? ¿Y aquello de no lastimar a nadie?" Puedo
escuchar ahora mismo a algunas de ustedes *hiperventilándo-
se*. Muy bien, tiempo fuera. ¿Necesitan respirar lentamente
en una bolsa de papel, o se están calmando? Respiremos profundamente, calmémonos y comportémonos como adultas.

En realidad, cuando hablo de fascinación estoy hablando en el contexto de mantener el interés de alguien o de
la habilidad de ser irresistiblemente encantadora. Fascinar
a un hombre es cautivar toda su atención —y mantener su
atención enfocada por completo en ti. Esa es la esencia de la
fascinación… ¿y no sería de utilidad durante la fase del cortejo de cualquier relación? Claro, absolutamente.

¿Está interesante? Pensé que eso les parecería. He aquí
algunas ideas para la fascinación y para todas ellas lo único

que necesitas es a ti misma, tu magnetismo personal y tal vez unos cuantos accesorios que apuesto que ya posees. Ahora bien, cuando se trata de accesorios, ya te puedo ver imaginándote toda clase de ingredientes exóticos y mágicos.

¿Me creerías si te dijera que encontrarás con mayor probabilidad estos accesorios de encantamiento en el cajón de tu cómoda o en el closet? No estoy hablando aquí de los materiales y los objetos de brujería. No, señora. Hablo de un tipo de magia más práctico, la magia de una mujer. Por ejemplo: un gran labial, un excelente sostén, un par de zapatos muy sexy, un aroma personal encantador. Tocamos algunas de estas sugerencias en la sección sobre el coqueteo, y de otras no hemos dicho nada aún. Así que echemos una mirada más cercana a las herramientas que realmente dispones en tu arsenal de magia femenina natural, y después vamos a ponernos a trabajar.

CABELLO

Dadme una cabeza con cabello,
largo y hermoso cabello,
brillante, reluciente,
manando, rubio, pálido, ceroso...
GEROME RAGNI Y JAMES RADO, *HAIR*

Nuestro cabello juega un papel significativo en las primeras impresiones. ¿Por qué otra razón se nos arruina todo el día cuando amanecemos con el pelo mal? Tu cabello es tu corona de gloria y es un accesorio encantador, de eso no hay duda. Tu cabello enmarca tu rostro y tu cuerpo. Les habla a los demás sobre tu feminidad, sexualidad y personalidad.

Durante siglos, la gente ha asignado ciertos rasgos de personalidad a los colores específicos del cabello. Estés o no de acuerdo, es verdad que estos rasgos generalizados se añaden a las impresiones generales de los hombres respecto a ti.

Tradicionalmente, se suponía que una mujer de pelo castaño era sencilla, encantadora y sexy. Del color ámbar al café chocolate, los múltiples tonos del castaño traen aparejado todo un impacto visual.

El cabello rubio, en sus múltiples tonalidades y matices dorados, es romántico y deslumbrante. Se supone que las rubias son, ya sea estrellas de cine glamorosas con cabello platino, o dulces y virginales con trenzas de color rubio muy claro.

A las pelirrojas se les considera extravagantes, de temperamento ardiente y estados de ánimo cambiantes. Estas peligrosas criaturas pueden ser inocentes y tímidas con trenzas brillantes o se les considera sirenas de cabellos de flama con hechizante pelo rojo oscuro.

Se piensa que las mujeres de pelo negro son exóticas, misteriosas y místicas, mientras que las mujeres de cabello plateado se consideran maduras y poseedoras de una sabiduría interior (no muy distinto del aspecto de la Diosa correspondiente a la Vieja, la mujer sabia).

Ahora bien, cuando se trata de tu estilo de cabello personal, existe todavía más información que añadir a tu imagen general. Es interesante señalar que cuando los hombres miran a las mujeres de cabello corto y despeinado, para ellos ese estilo transmite confianza y una personalidad extrovertida. Los cortes de cabello cortos, lustrosos, se consideran como de una persona segura de sí misma, original y sexy, mientras que el cabello de largo a mediano a menudo sugiere un aura de romance, y a una mujer relajada que posee inteligencia y calidez con respecto a ellos. El cabello largo puede enviar muy distintos mensajes. Si es largo y está sin arreglar, sugiere que la mujer es a la antigua, muy conservadora o remilgada. El cabello largo y despeinado puede retratar a un espíritu libre o a una amante de la naturaleza; puede también, tristemente, hacerte parecer descuidada. Peinarte con el pelo hacia atrás, fuera de la cara, de hecho transmite inteligencia. Y si ese cabello largo está arreglado y con accesorios, en trenzas o con un peinado elegante, entonces tenemos un mensaje completamente distinto. El llevar un cabello largo se considera de buen estilo, saludable, y proyecta de manera brillante sexualidad y riqueza.

¿Qué tipo de mensaje crees estar mandando con tu pelo? Estés de acuerdo o no con esta información, el resultado es que tu cabello dirige la atención a tu rostro —así que considera con cuidado qué mensaje envías con tu estilo de cabello personal. En todo su esplendor, tu cabello puede reflejar tu personalidad y enmarcar tu rostro para sacarle la ventaja más encantadora. Puede guiar a la mirada hacia tu garganta y tu cuello, y también lleva los ojos de un hombre al escote.

EL *DÉCOLLETAGE*

La confianza en sí misma es una poderosa poción mágica.
NANCY COLLINS

Hablando del espacio entre los senos, ¿cómo te sientes con el tuyo? ¿Trabajas con lo que tienes o te lamentas y te quejas, porque no tienes suficiente, o bien te inquietas porque piensas que tienes demasiado? En el capítulo 1, donde hablábamos de encontrar a tu Diosa interna, te animaba yo a dejar de castigarte emocionalmente con tu propio cuerpo. Y lo decía en serio. Aquí es donde puedes llevar a la práctica ese consejo. Así que respira hondo, párate derecha y, querida, sal con lo que tienes.

Tienes que ser inteligente y no tener piedad a la hora de poner en juego esta parte de tu anatomía. Uno de los hechos de la vida es que a los hombres les gustan los pechos. Es algo que tiene que ver con la época de las cavernas y que a los hombres les atraían las mujeres de pechos grandes y traseros redondeados. Esto decía al hombre primitivo que esta hembra era fértil y tenía buenas posibilidades de tener hijos. (En serio. No, no lo inventé. Sólo estoy pasando la información).

Verdaderamente, no importa qué edad tenga, cada mujer merece un sostén decente y que le vaya bien. Prueben el satín en rojo oscuro o el encaje negro. Allá afuera hay un arco iris de colores en todas las tallas. Nadie está obligada a ponerse un sostén blanco y simple de algodón —a menos que quiera. Así que pon a esos cachorritos en un arnés atractivo y ¡sácales provecho!

No importa qué talla de sostén seas, copa A o doble D, te sugiero que salgas e investigues sobre buenos sostenes. Si no estás segura sobre qué talla usar, o sientes que tu sostén actual no te queda bien, ve entonces al departamento de lencería y trata de que una vendedora haga que te ajuste un sostén. No es momento de sentirte avergonzada. Para aquellas que se imaginan que las va a atender una vieja matrona de voz susurrante, prepárense.

Recientemente compré un sostén de encaje negro muy sexy y no estaba segura de si necesitaba aumentar o reducir la talla cuando la joven vendedora tocó a la puerta del probador.

"¿Necesita ayuda?", me preguntó jovialmente.

Tengo lo que mi abuela llamaría un "busto generoso", así que siempre es un reto encontrar un sostén sexy y cómodo. "Humm, no estoy segura", respondí dubitativa.

Bueno, antes de que pudiera decir algo más, abrió la puerta del probador y entró. Yo sólo pude parpadear antes de encontrarme cara a cara con una chica de la misma edad que mi hijo mayor. Esta cosita tan joven —que era guapa como para morirse, por cierto— era un sargento instructor cuando se trataba de sostenes.

Lanzó una mirada crítica a mis senos, alargó la mano y de una manera funcional —estoy usando la única palabra que se me ocurre— acomodó mis pechos y luego ajustó los tirantes. Lo cual debo admitir que fue un poco sorprendente (y si soy honesta, absolutamente hilarante).

"Agáchese", me ordenó con una alegre sonrisa. Luchando por no reírme, lo hice. Después alargó la mano y levantó mi seno más alto. "Ahora vuélvase a enderezar", indicó. Después se paró junto a mí y le echó una ojeada crítica a mi pecho en el espejo: "Guau, usted va a esclavizar a su esposo con ese brasier."

No pude sino reírme. Me dijo con una sonrisa alegre que tenían el mismo modelo en púrpura si me interesaba. Salió tan rápido como había entrado y me dejó tratando de no explotar en carcajadas histéricas.

La moraleja de esta historia es que un buen sostén puede lograr maravillas en tu propia confianza. Y una nota personal: me alegra informarles que el brasier de encaje negro estuvo a la altura de la predicción de la joven vendedora.

Vayan al departamento de lencería y consigan un poco de ayuda de la vendedora o arrastren a una amiga. Comiencen por arreglar ese escote. Notarán la diferencia en las reacciones de los hombres. Además, saber que tienes ropa interior sexy es un secreto delicioso. Tal vez dejarás a tu hombre ver ese pecho en un brasier extremadamente sexy... o tal vez no. Depende completamente de ti.

HECHICERA *ESENCIA-CIONAL*

> *Mi alma viaja en el aroma del perfume*
> *como las almas de otros hombres en la música.*
>
> CHARLES BAUDELAIRE

¿Qué supones que les estás diciendo a los hombres sobre ti con tu perfume? Puede sorprenderte saber que el sentido del olfato puede desencadenar muchos recuerdos poderosos. El olfato y el gusto son de los sistemas más primitivos; de hecho provienen de receptores separados en el cerebro: el sistema límbico. Estos sentidos no han tenido que evolucionar en los seres humanos y son poderosos y primarios. Desde el inicio de los tiempos, hemos sido conscientes del poder del aroma, y sabemos que afecta nuestra psique, nuestros cuerpos físicos y nuestros sentimientos. Los perfumes actúan como una firma personal. La esencia atrae la atención sobre cómo te sientes contigo misma y alude a tus intenciones. Esto te da la posibilidad de atraer a una energía compatible.

Cuando se trata de elegir tu perfume, la nariz es la que sabe. Deberías escoger una esencia que sea agradable para ti. Cada perfume huele de manera diferente en cada mujer. Prueba unos cuantos y ve cuáles te atraen. O si quieres probar una nueva esencia, entonces echa una ojeada a estas cinco categorías principales y ve cuál va mejor con tu encantadora personalidad.

Floral: Los perfumes florales tienen fuertes matices de verdaderas fragancias florales. Puede ser un solo matiz, como jazmín, rosa o lila, o pueden ser una mezcla de flores, lo que los convierte en una especie de ramo floral. Estas esencias son románticas, clásicas y se encuentran entre las más populares en el mundo. Estas esencias florales pueden ser utilizadas en cualquier momento, por cualquiera, sin importar la edad. He aquí unas cuantas esencias florales clásicas; veamos lo que tu matiz floral favorito dice sobre ti: rosa para la sensualidad y el amor... lila para un primer y verdadero amor... clavel para la energía apasionada... jazmín para el romance y el encanto... lirio del valle para la felicidad y la inocencia... madreselva para un amor generoso y devoto.

Frutal: Si disfrutas las fragancias clásicas pero quieres potenciarlas un poco, prueba una esencia frutal. Estos aromas son vigorizantes y anuncian que quien las usa posee toneladas de energía, entusiasmo y brío. Cítricos y frescos, atraen tanto a los muchachos como a los jóvenes de corazón. Estos tipos de fragancias se pueden utilizar durante todo el año, ya que en el invierno te hacen pensar en playas tropicales y brisas veraniegas, mientras que en el verano su olor es vigorizante y fresco.

Madera: Los tonos terrosos son el sello de una fragancia de madera. Usualmente los olores como sándalo, pachuli y cedro sobresalen en el perfume y le dan un aroma intenso e intrigante: piensen en un bosque misterioso a media noche o un claro del bosque encantado. Esta clasificación de perfumes es práctica y naturalmente sensual para, ya lo adivinaron, las mujeres naturales, sexys y prácticas. Me pareció muy divertido encontrar que estas fragancias se recomendaban sólo para las mujeres maduras. ¡Ja! Apuesto a que quienes investigaron no hablaron con muchas Brujas. Esta categoría tiende a ser muy popular entre Brujas y Paganos de todas las edades.

Herbales: El perfume herbal es fresco y limpio, como una brisa de primavera o el aroma de un prado limpio. Pueden tener un toque del bosque, pero piensen en praderas de pasto y prados abiertos. Existen dos tipos en este grupo herbal, fresco y balsámico. Estas esencias actuales, de moda, se pueden llevar en cualquier momento y son para las mujeres más jóvenes, despreocupadas, unas mujeres que salen con prisa, o un espíritu libre. Los herbales son grandes compañeros de un individuo que se niega a ser clasificado.

Oriental: ¡Estos son los perfumes con fuerza! Los perfumes orientales son los perfumes más cargados de acentos sexys y fondos ricos que a menudo crean un efecto dramático. Estas son las fragancias que obsesionan a la memoria y atrapan a los sentidos. Los perfumes orientales tienen una mezcla de vainilla, musgo, flores y resinas. Pueden incluso ser un poco especiados o cítricos. Son mejores cuando los usan mujeres confiadas, audaces, que saben lo que les gusta y no temen perseguir sus sueños.

Estas distintas sugerencias y estrategias de las que hablamos respecto a aumentar la magia intrínseca de la mujer deberían darte ideas sobre cómo trabajar tu encanto personal para tu mayor ventaja. Esto es la fascinación en su mejor momento. Cuando trabajas con los atributos que posees, tu pelo, tu figura y tu esencia personal, estás haciendo la más natural de las magias. Así que trabaja con ese encanto —sé misteriosa, siéntete segura, sé fascinante— pero más que nada, sé encantadoramente tú misma.

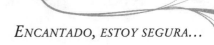

UNA BOLSA TALISMÁN PARA LA ATRACCIÓN Y EL AMOR:
INCREMENTA TU MAGNETISMO

> *La gente encantadora vive peligrosamente*
> *su encanto y se comporta tan escandalosamente*
> *como les permita el mundo...*
> LOGAN PEARSHALL SMITH

He aquí un hechizo práctico diseñado para aumentar tu magnetismo y tu nivel de poder personal —en otras palabras, para subir el volumen de tu encanto. Es una receta para una bolsa talismán. Para quienes no lo saben, un amuleto de hechizos es similar a un saquito. Se trata de una pequeña bolsa de tela llena de hierbas aromáticas, flores, cristales y otros ingredientes mágicos. Los talismanes pueden llevarse para cualquier propósito mágico: salud, un viaje seguro, protección, para aumentar la confianza y el magnetismo personal, y por supuesto para atraer el amor.

Las instrucciones que siguen son muy directas, y los materiales son fáciles de encontrar. Al igual que en cualquier otro acto de magia, el tiempo y los materiales son importantes, así que antes de sumergirte directamente, tómate tu tiempo y familiarízate con las instrucciones.

¡Feliz hechizo!

TIEMPO

Un viernes por la noche en la fase de luna llena o creciente. Los viernes son sagrados para las diosas del amor Venus y Freya. Asegúrate también de trabajar mientras la luna se encuentra en creciente, con el fin de atraer las cosas hacia ti. Crear esta bolsa talismán en la noche de luna llena te da un poder suplementario.

MATERIALES

- Un puñado de pétalos frescos de rosa roja y de clavel rojo (los pétalos de rosa roja son para el romance y el amor, y los de clavel atraen energía y una pasión saludable).
- Una bolsita rosa o roja (puedes utilizar un cuadrado de tela y amarrar los bordes con un lazo de satín en un color que combine, o probar con una bolsita de organza de las que se usan para regalo).
- Un pequeño imán (que representará tu magnetismo personal).
- Un pequeño cristal rosa de cuarzo limado (este cristal atrae el amor y el afecto; es la última piedra de "calor aterciopelado").
- Una vela de té sencilla.
- Un plato pequeño.
- Una gota de extracto de vainilla (para una atracción adicional).
- Tu perfume favorito.
- Una foto tuya.
- Una superficie plana y segura para colocarla
- Cerillos o un encendedor.

INSTRUCCIONES

Coloca todo esto en un lugar donde la luz de la luna caiga sobre tu superficie de trabajo. Coloca tu foto a la mitad de la superficie de trabajo. Añade una gota de extracto de vainilla a la vela de té y coloca la vela de té en el plato. Pon el plato que sostiene la vela de té directamente encima de tu foto (esto protegerá tu foto). Separa los pétalos de las flores y esparce unos pocos formando un círculo amplio alrededor del plato. Pon el resto de los pétalos, el cristal de cuarzo rosa y el imán adentro de la bolsita de tela. Rocía un poco de perfume en la tela de la bolsita. Ciérrala bien amarrada, anudándola tres veces y di:

> *Por todos los poderes de tres veces tres*
> *esta bolsa de hechizo me trae suerte en el amor.*

Coloca la bolsita en el área de trabajo, asegurándote de que esté bajo la luz de la luna. Ahora enciende la vela y repite el siguiente conjuro:

> *Por la luz de la luna llena/creciente*
> *deja que mi hechizo comience a florecer*
> *pétalos fragantes añaden su poder.*
> *Señora, escucha mi petición en esta hora*
> *mi poder personal queda magnetizado ahora*
> *mientras cierro este hechizo bajo el cielo lunar.*

87

Deja la bolsita cerca de la vela hasta que la llama se consuma. Una vez que hayas terminado, guarda la bolsita en tu bolsillo o tu bolsa y llévala contigo para aumentar tu poder y tu magnetismo. Desecha con limpieza la vela derretida y guarda el plato y tu foto. Los pétalos que quedaron esparcidos alrededor de la vela los puedes regresar a la naturaleza y a la Señora como una ofrenda.

Ahora, estoy segura de que habrás notado que no sólo decir el verso sirve para aumentar tu propio poder personal, sino que también creaste un talismán (o amuleto, si prefieres) que llevarás contigo. Muy inteligente, ¿eh? Disfruta este hechizo y permanece abierta a la magia que se encuentra alrededor de ti cada día. Deja que tu luz interna mágica brille intensamente y permite que la esencia del amor, el encanto, la atracción y el hechizo lleguen a tu vida.

Lo que sigue: experimenta la magia de los cuatro elementos y descubre cómo aprovechar sus poderes naturales para traer el amor a tu vida y a la vida de tu hombre.

Capítulo 4
La magia del amor es elemental

La magia del amor está al alcance,
siempre, en la tierra y el aire.

Theodore Roethke

*C*uando se trata de encantamientos de amor, los elementos naturales de tierra, agua, fuego y agua se concentran como un chispazo de poder. Estas cuatro piedras angulares de nuestro mundo natural están llenas de fuerza creativa, energía y magia fundamentales. De verdad, siempre que realizas magia, invocas a los elementos. Te ayudan a manifestar tus sueños, tus deseos y tus aspiraciones. De hecho, entramos en contacto con los elementos y los usamos al hacer nuestra magia. Para comenzar este proceso, todo lo que tienes que hacer es abrir tus ojos a las posibilidades del encantamiento.

Los cuatro elementos tienen una historia de simbolismo rica y variada, y literalmente se encuentran a tu alrededor, en cada ámbito, cada día de tu vida. El truco es identificarlos y poner en juego su energía en tus encantamientos. Abajo encontrarás información sobre cada uno de los elementos, con más detalles respecto a la manera en que sus energías únicas se aplican a la magia. Léela con cuidado y recuerda que cada elemento posee un color, una dirección y su propio poder para añadir a tu magia.

TIERRA

La tierra es el elemento de la manifestación. Es una fuerza femenina receptiva y este elemento preside los cuerpos físicos en que vivimos y nuestra conexión sólida con el mundo natural. El elemento de tierra es fértil, rico y profundo. Sal y entierra tus manos en el suelo. Toca el tronco de un árbol lleno de texturas, y obtén un poco de estabilidad y fuerza del elemento tierra. Este elemento representa la parte instintiva y terrenal de cada uno de nosotros que se revela en nuestros cinco sentidos físicos, las texturas y las sensaciones corporales. De hecho, el elemento de tierra nos bendice con la sensualidad. El color tradicional del elemento tierra es el verde y corresponde al punto cardinal del Norte. Los símbolos naturales pueden ser un plato de sal, piedras, plantas y tierra.

La tierra es un elemento estabilizador y tranquilizador. Tomamos fuerza de la tierra y a su vez ella nos provee de sostén. El elemento tierra es básico para tus encantamientos, puesto que es el poder que provoca que tu magia nazca en tu vida como una realidad física.

Aire

El aire es, simplemente, el poder del intelecto y de la mente. Es el elemento que ejemplifica el poder del pensamiento, la comunicación, la imaginación y el movimiento. Siempre que formulas un deseo o tienes una idea brillante, el elemento de aire es el responsable de la inspiración detrás de ellos. El aire es un tipo de energía masculina y tradicionalmente se representa mediante el humo perfumado del incienso o la respiración en tu propio cuerpo.

Este elemento corresponde al color amarillo y al punto cardinal del Este. A menudo se simboliza calladamente al colocar una simple pluma en tu altar. Para aprovechar este elemento, sal y siente la brisa en tu piel. Se siente mágico, ¿no? Ahora tómate unos momentos y reconoce el poder del aire, ya que te trae frescura e inspiración de muchas maneras. El elemento de aire encarna el ámbito del pensamiento y la intención, donde viven todas las cosas antes de convertirse en realidad. Sin aire, nuestros hechizos no llegarían a realizarse.

Fuego

Aprende a reconocer el poder del fuego en tu vida, desde el sol que brilla desde el cielo a la luz natural que ilumina tus días. El elemento fuego es simbolizado por el color rojo y el punto cardinal del Sur. El fuego es un tipo de energía masculina, transformadora, puesto que es tan creadora como destructiva. La energía del fuego es un componente importante de la magia del amor. Después de todo, tenemos las llamas de la pasión y el ardor del deseo. La energía apasionada del fuego es la fuerza que nos impulsa a todos. En los encantamientos, el fuego se representa, por lo general, con las llamas de las velas. La llama danzante es el símbolo de la pasión física, la energía mágica y el amor.

De hecho, el fuego es necesario como un combustible elemental que se utiliza para transformar algo; comprender el poder del elemento fuego es un gran punto de partida para muchos practicantes mágicos. Sí, y en caso de que te lo estuvieras preguntando, es exactamente por lo que comenzamos con los hechizos con velas en el capítulo 2.

AGUA

El agua, nuestro último elemento natural, es también un poder femenino y la mayoría de las veces se le asocia con el amor y las emociones. Piensa en ello: las emociones se pueden desbordar o manar, igual que este elemento. El agua posee una naturaleza expresiva y sensual y es muy sencillo aprovechar esta energía natural. Visita tu cuerpo de agua local: océano, lago, río o corriente, o toma un agradable y refrescante baño de tina. El agua es un elemento limpiador y refrescante en nuestras vidas diarias, ya que estamos hechos principalmente de agua; sin ella, pereceríamos.

En la magia, el agua corresponde al color azul y al punto cardinal del Oeste, y puede representarse en el altar mediante una copa o un plato de agua, tal como esperabas. Las representaciones naturales de este elemento abarcan a la lluvia que cae del cielo, a las conchas o a una estrella de mar dispuestas en tu espacio de trabajo. El elemento agua da vida a toda la naturaleza y es insondable, misterioso e impredecible. Es una paradoja. El agua es probablemente el elemento más importante en la magia del amor, ya que representa las emociones amorosas, la intuición femenina y los sentimientos profundos, apasionados.

UN HECHIZO ELEMENTAL DE AMOR

Para este hechizo, necesitarás una fotografía tuya, un sobre y una representación de cada uno de los elementos. Las opciones incluyen una punta de cristal para la tierra, una pluma para el aire, una pequeña vela de té para el fuego y una concha para el agua. Dispón en círculo estos objetos en tu espacio de trabajo/altar de amor con la punta de cristal arriba, la pluma a la derecha, la vela en la parte inferior del círculo y la concha a la izquierda, entre la vela y el cristal. Coloca tu foto en el centro del círculo. Si quieres echar la casa por la ventana, prueba a esparcir pétalos rojos de flor o incluso confeti rojo con forma de corazón alrededor de los objetos naturales en un pequeño anillo. Cuando estés lista, enciende la vela y repite el siguiente conjuro tres veces:

> Por los poderes de la tierra, el aire, el fuego y el agua,
> invoco al amor, el romance y muchas risas.
> Que los cuatro elementos bendigan ahora todo lo que haga,
> ayúdenme a reconocer al amor fuerte y verdadero.

Deja que la vela arda hasta que se consuma sola. Después guarda tu foto y algunos de los pétalos o el confeti que usaste adentro del sobre. Mantenlo cerrado en tu bolsa o en tu persona durante una semana. De esta manera, la energía elemental del amor proveniente del hechizo se mantendrá apegada a ti, no importa a dónde vayas.

Signos astrológicos:
tu elemento y su elemento

> *No necesitamos sentirnos avergonzados*
> *de coquetear con el zodiaco,*
> *el zodiaco bien vale la pena para coquetear con él.*
> D.H. Lawrence

94

Los doce signos solares del zodiaco son fascinantes a la hora de aplicarlos a la magia cuando recuerdas que cada signo tiene una asociación elemental. Ahora bien, es muy cierto que hay libros y libros respecto a qué signo solar es más complementario con otro en una relación. Sin embargo, yo quería abordar este tópico desde una perspectiva más práctica. Cuando separas los signos solares y los colocas en su categoría elemental, logras que las cosas sean más directas. Y cuando se trata de astrología, creo firmemente que mientras más simple es mejor. En caso de que te preguntes qué elemento está signado a tu signo astrológico, revisa la siguiente lista:

Tierra: Tauro, Virgo, Capricornio.
Aire: Géminis, Libra, Acuario.
Fuego: Aries, Leo, Sagitario.
Agua: Cáncer, Escorpión y Piscis.

Esta información zodiacal elemental puede ser un buen punto de partida cuando se trata de descubrir con qué energías elementales te encuentras más en sintonía. Revísalas y verás lo que aprendes de ti. Te será útil para futuros hechizos y encantamientos.

Las mujeres de signo de tierra son sensuales, cálidas y afectuosas. Estas damas son verdaderamente hogareñas y disfrutan de tener un hogar hermoso y acogedor. Las mujeres de tierra, no importan sus posibilidades, siempre encontrarán la manera de crear un santuario y un refugio calientito, por no mencionar un jardín. De esta manera, pueden satisfacer su pasión por cultivar cosas y aún así ser prácticas, y ya que están en ello, cultivar también hierbas y algunos vegetales. Son excelentes esposas y madres porque son generosas, amorosas y tienen sentido de la diversión, que utilizan en las exigencias del día a día para criar a su prole. Las mujeres de tierra son amantes de la naturaleza prácticas y con los pies en la tierra. Ocupan un lugar central en su vida su compañero, su familia, sus mascotas y por supuesto el cultivar hermosos jardines.

Las mujeres de signo de aire son inteligentes, de fuerte voluntad y decididas. Estas mujeres poseen la confianza suficiente como para valerse por sí mismas. Las mujeres de signo de aire son sumamente cuidadosas con sus emociones y afectos, lo cual a veces las hace parecer distantes. No lo son realmente –sólo están pensando las cosas y considerando todas las posibilidades. Esto significa que cuando una mujer de signo de aire dirige su atención a un posible compañero, encontrará maneras muy interesantes de mantenerlo entretenido y feliz. Las mujeres de signo de aire tienden a ser de tipo intelectual, o pueden jugar en un registro más bajo y ser hábiles e ingeniosas. Las mujeres de signo de aire piensan rápido, son inteligentes y desparpajadas. Se pueden expresar bien, ya sea hablando o escribiendo. Si una mujer de signo de aire tiene familia, animará a sus hijos a pensar por sí mismos y a ser creativos, francos e independientes. Resultado: este tipo elemental de mujer adora los retos y puede ser una ambiciosa mujer de carrera, fuerte, lista e independiente.

Las mujeres de signo de fuego son gente social, popular, enérgica y franca. También están ocupadas y son activas. Las mujeres de signo de fuego realizan múltiples tareas. Quítate de su camino y déjales mucho espacios para que puedan correr por todas partes y dejar todo hecho —eso las hace felices. Estas mujeres hacen que parezca sencillo ejecutar malabares con la carrera, el amor y la familia. Estas son las damas que se las arreglan para mantener un trabajo, formar parte de un comité o dos, ser líderes scout y madres voluntarias, trasladar a los niños a la práctica de deportes, mantener feliz a su compañero y nunca bajar el ritmo. Disfrutan el estar ocupadas y socializar. Estas damas son cálidas y generosas con su familia y sus múltiples amigos, y son también excelentes mujeres de negocios. Estas mujeres son amantes apasionadas y madres buenísimas. Pueden hacerlo todo.

Las mujeres de signo de agua son un grupo misterioso y melancólico. Son tan cambiantes y cautivadoras como el

mar. Estas mujeres son calladamente fuertes y pro-
clives a soñar despiertas. Son intuitivas, artísticas,
emocionales y tienen fuertes talentos psíquicos (que
pueden optar por ignorar, si se obstinan en ello). Si
este es el caso, estas damas están "afinadas" de una
manera que pocos pueden igualar. Siempre siguen sus
intuiciones pero eligen mantener en secreto esta información. Esto sólo puede provocar que parezcan un
poco diferentes. Una mujer de elemento agua puede
ser difícil de entender, pero es una compañera y madre
amable, amorosa y simpática. Para esta mujer, tanto
sus sentimientos como las emociones de quienes ama
lo son todo. Puede estar atraída a las artes de la curación y es una cuidadora natural.

Así que, ¿qué piensas? ¿Correspondes con tu elemento de
nacimiento o descubriste que te encontrabas alineada de manera más cercana con una personalidad elemental diferente?
Si es así, tal vez eres una mezcla de cualidades elementales, lo
que no es poco usual. El truco es hacer buen uso de esta información entendiendo cuáles son tus puntos fuertes. Ahora
bien, algunas de nosotras estamos por completo dentro de
nuestros signos astrológicos y habemos otras que desafiamos
a las clasificaciones. Por ejemplo, yo soy Virgo y concuerdo
con mi perfil astrológico muy de cerca y con mi asociación al
elemento tierra completamente.

Pero, haciendo las cosas interesantes, mi esposo es
Géminis, y es la persona menos Géminis que conozco. Sin
embargo, cuando se trata de los aspectos elementales de la
personalidad de su signo, que es aire, son mucho más compa-
tibles y apropiados para él que su signo solar astrológico... lo
que nos lleva directamente a la siguiente sección.

PERSONALIDADES ELEMENTALES DE LOS HOMBRES

> *No son los hombres en mi vida,*
> *es la vida en mis hombres.*
>
> MAE WEST

Los hombres de signo de tierra son amables, de buen carácter, se conforman con las cosas simples de la vida: piensen en un hábil artesano que disfruta haciendo cosas con sus manos. Estos hombres son el gran hombre varonil, prácticos y sensatos, no los tipos académicos. Estos tipos son felices cuando van de campamento o están viendo un partido de futbol, haciendo una barbacoa y descansando con una cerveza. Tienden a ser prácticos, trabajar duro y ser económicamente seguros. Sin embargo, su definición de ser "exitosos" puede ser radicalmente diferente a la de alguien más. Los hombres de signo de tierra son muy buenos padres, ya que tienen sentido de la diversión y están dispuestos a trepar por ahí con los niños o ayudarles a construir un fuerte en el patio de atrás. También pueden disfrutar de trabajar en el patio y hacer sus propios proyectos de arquitectura de paisaje. Disfrutan al sentir la tierra entre sus manos y quieren tener árboles, arbustos y (aunque pueden no admitirlo) grandes flores en el patio. Nada demasiado complicado, cuidado: sólo plantas perennes fuertes, rudas y vistosas. Los hombres de signo de tierra aman el desafío de una mujer voluntariosa. Los hombres de este elemento son generosos, sensuales y amantes muy minuciosos. También disfrutan la buena comida y poseer un hogar cálido y acogedor, con todo y los niños escandalosos y un gran perro bobalicón o un gato listo. Disfrutan de las texturas naturales, los

colores terrosos y los tipos de ambiente casuales, cómodos, de aventar los zapatos, sentarse y relajarse.

Los hombres de signo de aire son inteligentes, transmiten
poder personal. Estos hombres pueden ser tipos profesionales de una muy alta educación o sólo la clase
de hombres que puede ser casualmente listo y ultra-
capaz. Los hombres de este elemento odian las restric-
ciones de toda clase y a veces son un poco del tipo del
"lobo solitario". Un buen tip para recordar cuando
se trata con los hombres alineados a este elemento es
que son los tipos a los que les gusta dirigir (¡o por
lo menos prefieren la ilusión de que son los que están tomando todas las decisiones!). Los hombres de
signo de aire pueden cambiar de estado de ánimo tan
a menudo como sopla el viento. Un minuto son re-
servados y vigilantes, al siguiente son ingeniosos y
francos. Ese sentido de reserva puede hacerlos parecer
distantes, pero recuerden que los hombres de signo de
aire pueden ser meditativos. Sin embargo, a menudo
esto es porque están muy ocupados pensando en otra
cosa de importancia vital para ellos. Los hombres
de signo de aire ven las cosas en blanco y negro; para
ellos, no hay áreas grises. Si bien esta "actitud de todo
o nada" puede parecer frustrante, también significa
que una vez que se han decidido respecto a algo o alguien, ya está. Los hombres de signo de aire no van
a estar soltando románticas declaraciones de amor,
pero son amantes inventivos y muy atentos. Una vez
que han dirigido a ti su poder personal y su completa
atención... bueno, míralo de esta manera: nunca vas a
estar aburrida.

Los hombres de signo de fuego están siempre a la moda, son confiados y optimistas. Son de voluntad fuerte pero de mente abierta. Estos tipos son entusiastas, energéticos, encantadores y gregarios, y marchan a millones de kilómetros por hora. Todo aquel entusiasmo y afecto provoca que sean esposos muy amorosos y padres muy orgullosos: imaginen un entrenador de la Little League y un desparpajado hombre de negocios en un mismo paquete. Son generosos con la gente que les importa, imaginativos e innovadores con proyectos en el trabajo y en la casa. Los hombres del elemento fuego son líderes naturales y son típicamente de la clase el "alma de la fiesta". Tienen muchos amigos, tanto hombres como mujeres, y disfrutan pasar tiempo con ellos en diversas aventuras de una u otra clase. Estos hombres tienen un aura de emoción y aventura que nunca está completamente limitada. Los hombres alineados con el elemento del fuego pueden ser un poco obsesivos e intensos. Necesitan una corriente estable de amor y apoyo por parte de sus compañeras; de esta manera se sienten seguros. Como amantes, son demandantes, salvajes e indómitos. Sin embargo, bajo todo ese ardor se encuentra un lado romántico más suave y secreto. Quizá sólo tengas que hacerles saber que está bien calmarse, relajarse y mostrar también ese lado tierno de sus personalidades.

Los hombres de signo de agua a menudo son descritos como sofisticados, intensos y cultos. Pueden ser bien educados, profesionales, un músico o un actor, o un tipo de artista apasionado. Con toda esta energía del agua, puedes esperar que sean salvajemente románticos y el sueño secreto de toda chica. Ciertamente eso es posible; sin embargo, estos hombres son a menudo sobrios e insondables, y de hecho pueden ocultar sus sentimientos personales. Aun cuando pueden ser muy abiertos y francos en público, cuando es hora de ocupar el centro del escenario y actuar, pueden tener dificultades para expresar emociones en privado, simplemente porque esas emociones pueden abrumarlos. Tú conoces ese viejo dicho ¿"aguas tranquilas son profundas"? Bueno, realmente eso se aplica aquí. Estos hombres pueden ser maravillosamente creativos y sorprendentemente intuitivos, pero prefieren guardar para ellos mismos sus sentimientos personales. Otros sólo asumen que son inteligentes e intuitivos, cuando lo que realmente son es extremadamente empáticos y psíquicos. Pueden hacer uso de estos talentos para su provecho o, en el extremo opuesto del espectro, los hombres de signo de agua pueden ser fácilmente influidos por una compañera de voluntad fuerte. Un hombre de elemento agua es honesto, abierto y cariñoso. Es compasivo y generoso con los que ama, y conoce el valor romántico de una mano que se toma discretamente, una caricia tranquilizadora o un beso en el momento oportuno. Estos hombres son padres devotos que adoran a sus hijos y esposos atentos. Los hombres de signo de agua son románticos, sensibles de corazón, pero son almas privadas y discretas en lo que toca a sus sentimientos personales.

Poniendo a los elementos a trabajar en las relaciones

El amor en los labios era un contacto
tan suave como lo podía soportar;
y una vez que me pareció demasiado
viví en el aire...
Robert Frost

En lo que va de este capítulo, nos hemos centrado en los elementos de tierra, aire, fuego y agua, en lo que son estos elementos y lo que pueden representar cuando se trata de la magia de las relaciones y el amor. Como hemos visto, los elementos también influyen en nuestras personalidades, y en sí mismos y por sí mismos, son una poderosa fuente de encantamiento. Cuando combinas sabiamente todo este conocimiento sobre los elementos, verdaderamente tienes en tus manos una magia poderosa.

Así que, conforme pasamos a las próximas secciones de este capítulo, recuerda que la energía del fuego es irresistible, excitante y apasionada. La energía del aire es un poder que se transforma continuamente; puede ser comunicativa, rápida e ingeniosa; o pensativa, tranquila y reservada. El elemento tierra es realista, sensual y práctico. Finalmente, el elemento de agua es intuitivo y sensible, provisto de una energía profunda y emocional. Y ahora que ya conoces cuál es tu elemento y el suyo, echemos un vistazo a la forma en que éstos trabajan juntos mágicamente.

Tierra-Tierra: Ustedes son personas muy conectadas a la tierra, prácticos y sensibles. Sin embargo, eso no los hace aburridos. Los dos son hedonistas. Esta es una combinación de elementos intensa. Este acoplamiento es probablemente el que va al grano de manera más rápida. Es una fuerza de la naturaleza imparable, así que quítense de su camino. Después de todo, ambos aman las mismas cosas: la textura, el tacto, y la conciencia de las sensaciones y los placeres corporales. Ambos son táctiles y ninguno de los dos subestima el poder del tacto. La sexualidad y las emociones fuertes y amorosas están ligadas de manera inevitable —no existe la separación de los dos aspectos, en lo que respecta a ustedes dos. Si bien se encuentran más cómodos en la rutina relajada y ordenada de sus vidas, no dejen que lo conocido los atrape. Ambos se beneficiarían si se van de campamento o de un ocasional picnic romántico. Asegúrense de darse tiempo para expresar lo que son sus sentimientos —sé que tienden a quedarse atrapados en el momento. Pero una pequeña plática de almohada o la simple declaración de su amor los llevará lejos.

Tierra-Aire: He aquí una combinación interesante. El aire se encuentra cómodo con la confiabilidad de la tierra, mientras que a la persona de tierra le gustan los ánimos cambiantes del aire. De alguna manera estos elementos están atraídos el uno por el otro. Es algo irresistible y no lo pueden evitar. Los signos de tierra pueden aprender mucho de un signo de aire parlanchín. Los signos de tierra, de manera típica, son mucho más tranquilos y meditativos, y esto puede mantener fascinado al compañero de aire, ya que la otra persona siempre parece misteriosa. Básicamente, el signo de aire disfruta la seguridad y la estabilidad que una persona de tierra trae a la relación. Asimismo, las personalidades de aire gozan realmente de la sexualidad descarada de sus compañeros de tierra. Sin embargo, si la personalidad de aire es de las que meditan y es un pensador tranquilo, entonces la personalidad de tierra tendrá que recordarle que regresen a la tierra de vez en cuando y que se den el gusto de un poco de amor físico y romance. Por otro lado, si la persona de aire es parlanchina, la persona de tierra tendrá que encontrar una manera agradable de callarla. Por lo general, la manera directa de abordarlo es apretar el apagador de los pensamientos de un signo de aire. ¿Cómo lograrlo? Prueba a darles un gran beso sentimental, completado con un abrazo pleno, frontal. Eso debería conseguir su atención. Sólo pueden ser cerebrales por un tiempo, Además, de esta manera la persona de aire tiene algo más en que pensar ahora, y algo mucho más divertido en qué concentrarse.

Tierra-Agua: Esta fabulosa combinación de elementos es extremadamente exuberante y fértil. El romance entre ustedes dos irá a un ritmo más relajado, lento y soñador. Cada uno de ustedes es un misterio para el otro, ya que la tierra disfruta de las profundidades y el movimiento, misterioso y siempre cambiante, del agua, mientras que el agua se consuela con la sensualidad y la estabilidad de las características de la tierra. Sólo recuerda que al agua le gusta el juego de la seducción pausada, mientras que las personalidades de tierra quieren ir directo al grano y divertirse, así que comprométete y aprende cuáles son las preferencias de cada quién. No olvides que la variedad puede ser un soplo de aire fresco en tu intensa relación. Vayan de excursión al bosque, hagan el amor afuera o naden desnudos. Léanse uno al otro poesía o literatura erótica. Ambos son sensuales y se deleitan con el poder del tacto, el acto del amor y las emociones fuertes y profundas, así que disfruten lo que han encontrado uno en el otro.

Aire-Aire: Cielos, ustedes como pareja necesitan trabajar diligentemente para asegurarse de que se comunican bien uno con el otro. Unir a un par de signos de aire puede resultar en una relación intensa y encantadora o en una que estará cargada de discusiones y malentendidos insignificantes. Ustedes dos simplemente tienen que comunicarse claramente sus emociones. Seguro que pueden debatir día y noche sobre cualquier tema. Pero necesitan hablarse uno al otro, no sobre el otro. De otro modo, toda esa magnánima energía aérea creará una distancia. Sin embargo, si cada uno de ustedes se concentrara completamente y aplicara un poco de las mejores cualidades del aire, como la ingenuidad, la perspicacia y la atención en el otro, entonces me imagino que ambos serían completamente felices en la relación y nunca se aburrirían. Ambos son excelentes en el arte de la seducción, así que no traten de superar al otro. Siempre pueden dar un paso atrás y alternarse para ser el que domine. Si lo llegaran a necesitar, pongan un toque de la energía apasionada del fuego en su relación y calienten las cosas (estoy segura de que se les ocurrirá algo ingenioso).

Aire-Agua: Un signo de aire puede traer rapidez y claridad a un signo de agua sensible y tranquilo. Los signos de agua pueden quedar obnubilados por los signos de aire que piensan tan rápido y necesitan hablar de las cosas todo el tiempo. Pero los signos de agua pueden utilizar esa energía tranquilizante y calmante en su favor y permitir que un poco de aquella calma se filtre al compañero de aire. Los signos de agua pueden ayudar a los signos de aire a relajarse y sentir. Un signo de aire puede recordarle a un signo de agua que pruebe algo diferente, estimulándole a nuevas ideas y experiencias. Estos signos están cómodos con el enfoque tranquilo de cada uno respecto al amor. Las personalidades de aire se pueden relajar en el abrazo de una de agua. Por el lado positivo, los signos de agua no están demasiado preocupados por los estados de ánimo cambiantes del signo de aire; después de todo, ellos mismos pasan también por muchos estados de ánimo y son felices ofreciendo consuelo. Con este emparejamiento, es probable que uno de ellos sugiera dar buen uso a todos esos ánimos e intensidades en el dormitorio.

Fuego-Fuego: ¡Uf! Aquí es donde las cosas pueden arder fuera de control con rapidez. Esa energía inagotable es algo bueno, ya que al combinarse, ¡ambos la necesitan! Ustedes dos son tan apasionados e intensos que deberían recordar tomarse un tiempo sólo para ambos en sus ocupadas vidas y actividades. Utilicen un poco de aquella espontaneidad y hagan algo nuevo y que les suponga un desafío afuera del dormitorio que puedan disfrutar. Recuerden darse tiempo de vez en cuando para expresar sus sentimientos y aquella parte de su emoción que es más suave. Sé que no les gusta admitirlo, pero muy en el fondo ambos necesitan sentirse seguros en los afectos del otro. Trabajen en equipo, no sólo como la estrella y su compinche. Por el lado positivo, siempre habrá mucha pasión entre ustedes. El aspecto físico de la relación estará lleno de diversión y será intenso y absorbente.

Fuego-Tierra: Los signos de fuego traen energía e intensidad a los apacibles y despreocupados signos de tierra, incluso cuando un signo de tierra puede con facilidad conectar a tierra un signo de fuego y mantenerlo más calmado. Ambos se beneficiarán de las cualidades elementales de cada uno. La estabilidad y el sentido práctico combinados con la energía y la espontaneidad forman una combinación increíble. Las cualidades terrestres de uno de los compañeros permiten a las cualidades fogosas del otro tener un lugar seguro para descansar y tocar base. El signo de tierra encuentra irresistible la pasión y la espontaneidad de un signo de fuego cuando se trata de placeres más terrenales. De alguna manera, el fuego y la tierra se vuelven muy talentosos para impulsar las necesidades físicas de cada uno. Mientras sean comprensivos con los deseos del otro y respeten las fortalezas elementales de cada quién, ustedes dos formarán un par increíble.

Fuego-Aire: Puesto que el aire impulsa las llamas del fuego, este es un emparejamiento excelente. Ambos son individuos interesantes y cautivadores. Mantienen entretenido el uno al otro, y ambos se comunican bien. Hay aquí una armonía, y ustedes dos forman una combinación refinada y con clase. Este amalgamamiento de elementos produce toneladas de energía. Los signos de aire aman el hecho de que los signos de fuego son fervientes en sus afectos y pueden tomar aquellas decisiones rápidas, mientras que los signos de fuego admiran la ingenuidad y la sagacidad de una personalidad de aire. Ambas personalidades disfrutan su tiempo personal y su espacio, y lo respetan en el otro. Durante todos los desafíos y la emoción de la relación y la pasión, no olviden que necesitarán compartir un poco de tiempo tranquilo, donde puedan realmente hablar. De esta manera, permanecen conectados y pueden escuchar y apreciar las esperanzas y los sueños de cada uno.

Fuego-Agua: Dicen que los opuestos se atraen y esta combinación de elementos puede dar como resultado una fabulosa relación —o puede dejarlos frustrados echando humo por el enojo. Para la mitad de signo de agua de este dúo, deberás tener en mente que tu compañero no anhela la sensualidad abrigadora, llena de emoción como tú. Los signos de fuego están llenos de energía, pasión, ¡y mucha acción! Puedes tener que abordarlos para obtener su atención. Si un signo de agua está sentado y esperando que un signo de fuego se detenga y se dé cuenta de que está en el ánimo de hacer el amor de manera emocional y sensible, que lo olvide: tienes que ser más directa con ellos. Ambos tienen estilos muy diferentes de amar y vivir. La buena noticia es que los signos de fuego encuentran las emociones profundas de los signos de agua dulces y cautivadoras, tanto como los signos de agua encuentran completamente fascinante la intensidad del fuego. Así que úsenlo en su favor, y sigan la corriente.

Agua-Agua: Ustedes dos comparten una conexión psíquica y emocional como ningún otro. Hay un océano lleno de sensualidad, y ambos son empáticos y lo suficientemente intuitivos como para entender cómo hacer que el otro se sienta completamente feliz y satisfecho. Sin embargo, también pueden percibir y ser afectados por los estados de ánimo y las emociones del otro. El océano cambia constantemente y ustedes dos se pueden poner melancólicos y arrastrar la cobija de vez en cuando —y, con la misma rapidez, pueden dejar que la tristeza se escurra y navegar sin obstáculos. Así que utilicen un poco de energía de los otros elementos y tocar tierra en el mundo físico. Hablen entre ustedes —no sólo sientan las emociones del otro— y mantengan abiertos los canales de comunicación.

LA SEDUCCIÓN DE UNA BRUJA:
ENCANTAMIENTO ELEMENTAL

Cuando despiertas esa necesidad en mí, mi corazón dice sí, por supuesto, sigue llevándome hacia aquello a lo que me guías. Y es un amarre tan antiguo, uno que yo nunca cambiaría, porque no hay bruja más linda que tú.
CAROLYN LEIGH Y CY COLEMAN, *WITCHCRAFT*

Ahora que tienes una idea de cómo tus elementos se complementan entre sí, puedes dar buen uso a esta información para una tarde de encantamientos de amor. Si estás tratando de agradarle, llevar tu relación al siguiente nivel, subir el volumen del romance para la noche, o simplemente seducir a tu compañero, aquí tienes unas cuantas ideas adaptadas a su elemento y sus preferencias.

Oh, y antes de que te empieces a quejar, claro que tus referencias también son importantes. Pero si lo quieres seducir, entonces necesitas concentrarte en aquello que provoca que tu hombre se sienta más inclinado al romance y la intimidad, ya que si él está felizmente en esa disposición, tú misma terminarás muy complacida y satisfecha. ¿Recuerdas lo que comentábamos en el primer capítulo? Elegir y atraer a un hombre es tu trabajo. Así que ya lo elegiste. Ahora haz la parte de la atracción y deja que la naturaleza siga su curso.

La siguiente información es mágica. Sólo porque no estés repitiendo un conjuro no quiere decir que no estás realizando un acto de magia. Considera que la magia aprovecha los poderes de los elementos. Cuando te enfocas en el elemento principal de la personalidad de tu hombre y lo utilizas para hacerlo feliz, ciertamente estás creando encantamientos. Este tipo de magia seductora no es manipuladora cuando te concentras en agradarle. En este caso, sólo estás estableciendo el ambiente y dejando por completo en sus manos el resultado de la noche. Recuerda que el poder de una mujer es incitante, fascinante y magnético: atrae lo que más desea. Estas sugerencias elementales, seductoras, deberían ayudarte a obtener el resultado que buscas. ¡Les deseo a ambos una noche encantada!

Hechizando a hombres de signo de tierra

Para el hombre de signo de tierra, crea en tu casa una atmósfera acogedora, relajada y hospitalaria. Los sofás confortables con almohadones "para hundirse" texturizados y los objetos naturales lo harán sentir cómodo y lo colocarán en el estado de ánimo correcto. Mantén la noche tranquila —a los hombres de signo de tierra no les gustan particularmente las sorpresas— y prueba con una música de tema natural para mantener el ambiente romántico. Preséntale a tus mascotas y prepárale una deliciosa comida con alimentos del tipo abundante y sabroso. Mantén el ambiente casual, pero trata de añadir un jarrón de flores sencillas de jardín que tú misma hayas arreglado en la mesa. Seguro las notará, más que un arreglo formal de un florista. Puesto que los hombres de signo de tierra son táctiles, prueba a llevar telas que lo inviten a tocar, como el terciopelo, el satín o la seda. Hagan una caminata en el jardín o en el parque. Tómense de las manos, acurrúquense en el sillón y dense el gusto de un masaje de espalda, un buen apapacho, unos besos, y luego vean dónde termina la noche.

Encantando a hombres de signo de aire
Para el hombre de signo de aire, vas a tener que poner atención y ver de qué ánimo está para la noche. Para que te ayudes a poner el escenario para las actividades de la noche, puedes tratar de quemar un poco de incienso ligero o poner un plato de potpurrí de especias, y asegúrate de utilizar tu perfume favorito. Los hombres de signo de aire a menudo quedan atraídos por el aroma de una mujer. Un poco de música de fondo sutil ciertamente tampoco haría daño; prueba con algo aireado y celta, con muchas cuerdas y flautas, que suene suavemente en el fondo. Pon en marcha las cosas con un poco de conversación ligera, y asegúrate de que lo miras directamente a los ojos y escuchas con cuidado sus respuestas. ¿Está de ánimo serio, en el que preferiría una plática inteligente? ¿O está más ligero y juguetón, cuando el humor y la risa lo ponen feliz? Sugiere ir a ver una película, visitar un museo o ir al teatro. Puedes hablar de libros que hayas leído o actividades que disfrutes. Si van a pasar la noche en casa, que la comida sea ligera: prueba las uvas, queso y galletas, y sirve bebidas simples o un buen vino blanco. Ofrécele juguetonamente darle de comer

algunas uvas. Ahora que su atención está firme en ti, sé directa. Concéntrate en su boca y en besarse mucho. Y recuerda: una vez que tienes su atención totalmente puesta en ti, sólo relájate y déjalo hacer lo que mejor le sale: ¡ser creativo!

Fascinando a hombres de signo de fuego
Cuando se trata de hombres de signo de fuego, puedes dejar afuera todos los impedimentos. Por supuesto, la luz de las velas o un fuego que arda en la chimenea ayudarán a preparar el ambiente para el amor, y lo harán sentirse cómodo. Pon de fondo, suavemente, música interesante o apasionada. Arregla unas rosas rojas fragantes en la habitación para ayudar a establecer el ambiente. Lúcete con comidas sensuales, como un buen vino tinto, fresas cubiertas de chocolate o un fondue. Prueben a darse de comer uno al otro entre beso y beso. Concéntrate por completo en él y mantén tu tono de voz bajo e íntimo. Con esos hombres, no tienes que ser sutil. El contacto físico es importante, sin embargo, y vas a tener que ser franca y dar caricias apasionadas. Susurra algo provocativo a su oído. Continúa con una pequeña mordida en el lóbulo de la oreja. Si quieres, puedes probar algo divertido y diferente —esparcir pétalos de rosa entre las sábanas y utilizar una ropita perversa o la clásica lencería roja— sólo para sorprenderlo. ¡Le encantará!

Embrujando a hombres de signo de agua
El hombre de signo de agua es otra clase de pez por completo. Para estos hombres, significa mucho que les demuestres que te importan sus sentimientos y lo que los hace sentir cómodos. En cuanto a la música, ten preparadas muchas de tus variedades preferidas para que él decida y déjalo elegir qué escucharán. Sírvele su comida y su bebida preferida. Mantén el ritmo de la noche lento y relajado. Un toque prolongado y

sutil en la mano o arrastrar el dedo por su brazo atraerán su atención sin invadir su espacio personal. Ofrécele un masaje de cuello y hombros para ayudar a esos hombres emocionales y expresivos a distenderse. Podrías proponer que ambos se fueran a relajar a la bañera caliente, dense el gusto de un chapuzón a la luz de la luna o caminar bajo la lluvia (si el clima lo permite). Ahora bien, aunque eso podría parecer cursi a algunos hombres, él probablemente lo disfrutaría. Sugiérelo con suavidad y ve cómo se desarrolla. Oh, y si ninguna de esas opciones está disponible... siempre se pueden meter juntos a la ducha.

UNA NOCHE ENCANTADA

Una noche encantada,
cuando encuentres a tu verdadero amor...
RODGERS Y HAMMERSTEIN, *SOME ENCHANTED EVENING*

Espero que consideres probar algunas de estas sugerencias elementales. Te darán muchas ideas para hacer que surja una noche romántica y encantada o te ayudarán a planear una seducción amorosa total. Utiliza esta información como punto de partida y ve a dónde los conduce tu imaginación, a ti y a tu hombre.

Capítulo 5
Cómo mantener la flama ardiendo

La fascinación de una mujer
que sabe quién es
nunca termina.

Marianne Williamson

*L*as relaciones tienen sus propios ciclos y temporadas. Mantener vital tu relación estable o tu matrimonio es a menudo un asunto al que hay que dedicarle atención. Piensa ¿cuánta atención le estás poniendo? Si las cosas no están saliendo tan bien, entonces tú o tu compañero necesitan poner un poco de esfuerzo y energía nueva en la relación. Mantengan abiertos los canales de comunicación y reconozcan que una relación duradera siempre está evolucionando y cambiando. Es un equilibrio entre el romance, la sexualidad, el compañerismo y la amistad. Tu relación necesita cuidados y atención si quiere sobrevivir. Si las áreas del afecto y la comunicación parecen estar bien pero falta la física, entonces es momento de trabajar en ese problema.

Este capítulo va a ser muy honesto. Aunque pienso que podemos hablar de este tópico sin ofender a nadie, quiero advertirte que vamos a hablar de sexo. Ahora bien, no voy a ser demasiado gráfica. Sin embargo, pienso que este tema merece una enfoque práctico, porque enfrentémoslo: incluso las mejores relaciones a largo plazo o matrimonios pasan por épocas en que la vida amorosa se estanca un poco. Así que, de mujer a mujer, seamos honestas, abiertas, y hablemos de cómo mantener unida una relación amorosa física.

Si quieres seguir encantando a tu hombre, entonces lo vas a tener que mantener interesado en el dormitorio. Quienquiera que te haya dicho que el sexo no es parte importante de la relación está mintiendo (o probablemente no consigue sexo). ¿No me crees? Bueno, ¿has escuchado a un hombre alardear de que no consigue acostarse? En lo que toca a los hombres, el sexo es el dinero contante y sonante, por llamarlo de algún modo. Por supuesto, la intimidad emocional también es importante; igual lo son el amor y un genuino cariño por su dama y el disfrute de pasar tiempo con ella. Pero, señoras, ellos son hombres. Tienen que ver esto desde su perspectiva si quieren conservar su interés y mantenerlos hechizados junto a ustedes.

Cuando supieron sobre qué estaba escribiendo mi nuevo libro, los cuates tuvieron mucho que decir. Algunos de sus comentarios eran hilarantes, algunos tontos, unos pocos insultantes. Por qué la gente se sentía impulsada a comentar sobre este libro en particular durante el proceso de su escritura, es algo que sólo puedo adivinar. Lo que era muy interesante, sin embargo, era que las reacciones de las mujeres y las de los hombres eran muy distintas. Si bien los hombres tenían muchos comentarios sobre esta idea de "encantar a un hombre", el 99 por ciento de las veces los comentarios iban por la línea de bueno, ¡un sexo fenomenal es un gran comienzo!

Por otra parte, la mujeres se frotaban las manos y se carcajeaban. ¿En seriooo? Prácticamente ronroneaban cuando sopesaban las posibilidades. En este punto, en su rostro se dibujaba una lenta sonrisa y una ceja se elevaba. Tenían este brillo en los ojos cuando preguntaban, "¿Cómo hechizas a un hombre?" Luego preguntaban qué clase de temas iba yo a cubrir en el libro —y honestamente, el aspecto sexual de la relación estaba como en el quinto lugar de su lista.

¿No es interesante? Las mujeres se estaban preguntando cómo ser más atractivas para un compañero potencial, cómo volverse más *empoderadas*, cómo encontrar a un buen hombre o cómo fortalecer sus conexiones emocionales con los hombres, más o menos en ese orden. No era sino hasta después de que se establecían las preocupaciones emocionales que comenzaban a considerar el poner un poco de pimienta al lado físico de la relación. Así que, ¿qué suponen que esto nos dice?

Como mujeres, la mayor parte de las veces necesitamos un vínculo emocional antes de aventurarnos a la intimidad. Somos criaturas orgullosamente emocionales, y nuestros sentimientos guían el camino. Mientras que con los hombres, ellos necesitan típicamente una expresión física de amor antes de siquiera considerar la importancia emocional de tener una compañera/esposa que sea también su amante y amiga.

¿Estoy diciendo que los hombres no sienten? No, por supuesto que no. Estoy diciendo que los hombres reaccionan al amor a su propio modo. Se pueden herir los sentimientos de un hombre tanto como los de una mujer.

Ellos son tan vulnerables como nosotras, sólo que lo ocultan mucho mejor (es importante recordar eso). Los hombres son emocionales en un nivel completamente distinto que las mujeres. Uno no es superior al otro; simplemente son diferentes. Obviamente los hombres aman y son capaces de amar profunda y sinceramente.

La sexualidad es un poder increíble. Es una fuerza de la naturaleza, y como lo hemos dicho anteriormente, la magia surge de la naturaleza y a través de tu propio deseo de crear cambios. La magia es amor y el amor es magia.

Así que, ¿qué supones que podría ocurrir cuando adoptas esta corriente de pensamiento y la aplicas para mantener las llamas ardiendo en una relación establecida? Claro, creas una oportunidad poderosa y potente de cambio mágico. Te convertirás en una mujer más confiada y empoderada. Además, aprenderás cómo mantener encantado a tu hombre.

CÓMO TRAER DE REGRESO LA PASIÓN
A LAS RELACIONES AMOROSAS

> *No cocines. No limpies.*
> *Ningún hombre le hará el amor a una mujer*
> *porque enceró el linóleo.*
> *"Dios mío, el piso está inmaculado. Acuéstate, mamacita."*
> JOAN RIVERS

Todavía hay una hechicera adentro de ti, pero ¿cómo sonsacarla de regreso? Bueno, si has estado leyendo y poniendo atención a este libro hasta ahora, deberías tener muchas ideas para encantar a tu hombre. Asimismo, todas esas técnicas para flirtear y fascinar, así como la información sobre la personalidad según los elementos de que hablamos en los capítulos anteriores, ¡también se aplican a ti! Que estés casada o en una relación estable, no significa que hayas abandonado tu sexualidad.

Trucos como lamerte los labios lentamente, fascinarlo con una fragancia de personal encantadora, mostrar el espacio donde se juntan los pechos y cruzar las piernas funcionan y funcionan bien. Especialmente con un hombre que no ha visto esos movimientos en su mujer o compañera desde hace un buen tiempo.

Tal vez deberías regresar y leer esos consejos para flirtear y los perfiles de personalidad otra vez. Ahora ponte tu gorro de pensar de bruja e imagina cómo podrías aplicar esos consejos a tu esposo o compañero. Ah, y sólo te aviso ahora que cuando ya estás en una relación establecida, los tipos de maniobra "ven por mí, grandulón" para flirtear, probablemente harán que aterrices sobre tu espalda, con los pies en el aire. ¡Hurra!

Bueno, pero ¿qué tan importante es el sexo en la vida de una mujer? Es de importancia vital. Toda la vida de una mujer es sexual. La intimidad se puede crear de millones de formas: un roce, un beso, la comunicación abierta y amorosa, y la risa. Si tu vida amorosa va a valer la pena, entonces necesitas comunicarte. Deja que tu hombre sepa lo que te produce placer y lo que no. Él no lee la mente. Si no hablas, ¿cómo sabrá lo que te hace sentir bien o lo que encuentras particularmente placentero?

Bueno, no lo hará. Éste no es momento de ser tímida. Si no te puedes imaginar del todo sentándote y hablando casualmente del tema, entonces díselo mientras hacen el amor. No comiences a darle órdenes, sólo susúrrale unas cuantas sugerencias sin aliento. Siempre puedes mordisquear su oído mientras le dices lo que más te gusta. O toma sus manos y ponlas donde quieres: simple y muy efectivo. La comunicación enriquece la intimidad de las mujeres y también la de los hombres.

Ahora bien, puedes darle un poco de sabor a las cosas sin dejar de ser tú misma. Si eres un poco tímida y te cuesta mucho trabajo imaginarte diciéndolo todo, entonces sugiero que tomes esta oportunidad y aprendas algo nuevo. O tal vez estás pensando: disfruto el sexo —sólo que no lo estoy disfrutando ahora, o tal vez va en la línea de ¿Sexo? ¿Es broma? ¿Quién tiene el tiempo o la energía?

Si tienen niños pequeños, puede ser difícil encontrar el momento para una relación sexual y los niños son agotadores. Si son pequeños, mándenlos a la cama temprano y tengan una noche encantada. O consigan una niñera y vayan al cine. Siéntense en la fila de atrás del cine y acaríciense. Si su presupuesto lo permite, renten después un cuarto de hotel o lleguen a casa lo suficientemente tarde para que los niños estén dormidos y en la cama. Luego, una vez que se haya ido la niñera y estén solos, vayan a la recámara y dejen que la naturaleza siga su curso.

Por otra parte, si sus niños son un poco mayores y pueden entretenerse un rato de manera segura, encuentren un DVD o un video que puedan ver —algo que los mantenga entretenidos durante media hora. Una vez que estén sentados viendo la película, corran a la habitación, cierren la puerta con el seguro, y al ataque. Uno nunca sabe, se puede convertir en una especie de código entre ustedes.

¿Quieren poner de nuevo un elemento de peligro en su vida amorosa? Prueben a tener sexo interrumpido en una casa llena de niños pequeños. Alguien siempre está tocando a la puerta, necesita una bebida, o quiere saber a dónde fueron Mamá y Papá. Puede que tengan que ser rápidos como conejos, pero qué más da, el peligro y la pasión son una mezcla embriagadora.

Cuando mis hijos eran pequeños, teníamos un video a prueba de descomposturas de *Winnie Pooh*. Mi esposo sacaba ese video, mis hijos se ponían felices y él y yo intercambiábamos una mirada significativa. Ese video duraba exactamente veintinueve minutos, así que dejábamos a los niños sentados y corríamos hasta la habitación.

Este es un recuerdo muy querido que nos hace carcajearnos a mí y a mi esposo, incluso ahora que nuestros hijos ya viven solos o van a la preparatoria y hemos estado casados por casi veinticinco años. Hasta ahora, *Winnie Pooh* me pone sentimental —pero por una razón muy diferente de la que podrías pensar.

UNA MAMACITA

La maternidad es la segunda profesión más antigua del mundo.

ERAM BOMBECK

Lo más extraño ocurre cuando nos encontramos rebasadas y rodeadas de niños pequeños. Tendemos a ponernos en "modo mami" y a veces olvidamos a los hombres en nuestras vidas. Hay que cambiar pañales, lavar ropa, comidas que atender y después, que la Dama te ayude, entrenar para la bacinica. Cuando estás viviendo la vida en las trincheras con niños pequeños, simplemente tratas de sobrevivir. Es suficiente como para hacer que el más valiente de los guerreros se encoja de miedo.

Aquí estás, vadeando entre juguetes mientras luchas por cruzar la cocina para descubrir que tu pequeño de dos años ha sacado todos los moldes de plástico de la alacena y está cantando alegremente mientras lanza diferentes tazones por todos lados. Limpiamente esquivas un misil enemigo (disfrazado de tapa de Tupperware) con toda la fineza de un soldado endurecido que se abre paso en la más oscura de las selvas.

Tus sentidos afinados hacen que voltees de repente la cabeza, a tiempo para ver a tu hijo de cuatro años patinando sobre ruedas por la sala de piso de madera. ¿Qué es eso que tiene en la cabeza? Mira, ese niño listo está usando una cubeta de plástico rosa como casco para patinar. Obviamente tu hijo es un prodigio, al aparecer con formas nuevas e ingeniosas de estar seguro mientras patina en la casa.

Cometes el error de dar la espalda para buscar la comida de la bebé y tu genio de cuatro años está ahora patinando frente a la bebé, que está amarrada a su silla alta y esperando su comida sin demasiada paciencia. ¿No es dulce? La hace reír mientras le enseña cómo darte las frambuesas. Así que de ahora en adelante, cada vez que le des de comer a la bebé tendrás comida en tu cara y en tu pelo. Cuando la mejor parte de tu día resulta ser Plaza Sésamo, pues te da una hora de calma y tranquilidad —bueno, tanta como puedas tener con Big Bird y Elmo—, sabes que tienes un serio problema.

¿Me inventé la última escena? No, eso pasó de verdad, y tengo fotos para probarlo. No puedo esperar a que mi hijo mayor se comprometa y pueda yo sacar todas esas fotos de él usando una cubeta en la cabeza. Tengo otras fotos incriminadoras del resto de mis hijos, la venganza es dulce.

Sin embargo, en algún momento a la mitad de toda la locura de criar niños pequeños, tus propias necesidades y deseos se van postergando. Tu principal meta en la vida es hacerte de unos cuantos momentos valiosísimos para ti misma y, tristemente, el esposo queda colocado incluso más abajo de la lista de prioridades. El sexo parece un sueño distante y lejano.

Yo lo sé, a mí me sucedió también. Mi esposo y yo tuvimos tres niños en un periodo de cuatro años. Las enfermeras y los ginecólogos me llamaban su "viajero frecuente". Si bien mi esposo y yo disfrutamos completamente el tener a nuestros bebés tan seguido uno del otro, ahora, cuando vemos videos de los niños cuando eran pequeños, nos preguntamos cómo hicimos para lograrlo, seguir cuerdos y permanecer casados.

Hablen con otras madres de niños pequeños y descubrirán que si bien hablan de los logros de sus hijos con orgullo, típicamente tienen muy poco que decir sobre el sexo —aunque sea para quejarse de que la vida amorosa ya no es lo que solía ser. Convertirse en madre no significa que dejes de ser una criatura sexual. Significa que tienes que aprender cómo distribuir tu tiempo de maneras más creativas. Toma algo de la intensidad que concentras en tus niños y vuélcala en tus necesidades físicas y tus deseos para la noche. Luego considera cómo atraer a tu compañero/esposo en tus planes. Durante un tiempo piensa en ti y en tu relación física con tu hombre. Usa tu imaginación; adelante y conquista su (y tu) mundo.

¡Hey, las mamás son sexys también! Uno de los tres aspectos de la Diosa es la Madre. La Diosa Madre es un ser fértil, creativo, amante, protector y sensual. Ella personifica las mejores cualidades de ser hembra. Al echar un vistazo a las mejores cualidades de la Diosa Madre, deberíamos darnos cuenta de que puedes ser una madre y un ser sexual. Se puede hacer, y hacerlo bien.

Trabaja duro para mantener fuerte el lado físico de tu relación mientras estás criando a tus hijos. Es de importancia vital. No te obsesiones con cualquier pequeñez y aprende a descansar y a tomar algo de tiempo para ti de vez en cuando. Si tú eres feliz, entonces todo el resto de la familia serán más felices también. Si la Diosa Madre lo puede hacer, tú también.

Asegúrate de dedicar algún tiempo a cuidarte y a mantener tu propia sexualidad.

Así que, ¿cómo lo logras?, te puedes preguntar. Bueno, aquí tienes unas cuantas sugerencias en tono de broma. Léelas y lanza una buena carcajada. Después piensa en ellas y visualiza cómo puedes aplicar estas sugerencias de forma creativa en tu propia vida.

¿La vida amorosa perdió su brío?
(¿Qué te estás poniendo para meterte en la cama?)

> *Ahora, sólo para mostrarte que mi corazón*
> *está en el lado correcto,*
> *te daré mi mejor pijama.*
> Robert Riskin, *It Happened One Night*

He escuchado a muchas mujeres quejarse de que luego de tener un par de niños y estar casadas durante una década más o menos, el lado físico de la relación parece perder su entusiasmo. Eso hace que me pregunte, ¿qué están haciendo exactamente en la cama? No, no estoy interesada en las particularidades, las posiciones o los detalles gráficos de su relación sexual. Me pregunto si van a la cama sólo para dormir. ¿Se abrazan? Y, por Dios, ¿qué trae puesto la mujer?

Es un hecho puro y duro que lo que primero atrae a los hombres es lo que ven. Son criaturas visuales y sus estímulos quedan afectados principalmente por ello. Es, simplemente, el modo en que están cableados. Así que, si entras tropezándote en la cama todas las noches con un piyama de franela viejo y zarrapastroso, una camiseta despintada con hoyos o una sudadera de futbol, es posible que tu hombre no vaya a quedar inflamado de pasión cuando te vea. Y si luego de tener un par de hijos te preocupas por un cuerpo que nunca va a retornar a los días anteriores a los bebés, te sugiero que comiences a verte a ti y a la situación de una manera completamente distinta.

¿Has considerado empezar con la lencería? Busca algo que tenga una textura suave, de satín. Puedes encontrar lencería sexy que es cómoda para dormir, no importa cuál sea tu talla. Créeme, notarás la diferencia. Te hace sentir más atractiva, lo cual te pone en un ánimo más dispuesto; además para él se ve (y se siente) bien.

Es una combinación donde ambos ganan. Así que tal vez desenterraste de tu cajón de lencería una ropita vieja, confiable, garantizada para volverlo loco. Ya casi se te olvidaba ese poco de encaje y satín, ¿no? O tal vez saliste y compraste algo nuevo. ¡Muy bien!

Ahora, si te sientes un poco nerviosa con esto o te preocupa cómo te verás con la lencería, entonces tengo lo que necesitas. Llamemos a una diosa garantizada para ayudarte a superar todo el nerviosismo y aumentará tu confianza y tu sexualidad.

Invoca a Afrodita para aumentar tu confianza

Y ahora, contempla a la Diosa sentada en su trono...
recibiendo la adulación de su adorador...
Sarah Fielding

La belleza es lo que la belleza hace. Si te sientes bella y crees que eres sexy en la lencería, él también lo creerá. La belleza es una actitud —no lo olvides— y la confianza es sexy. Cuando evocamos un poco de confianza extra, apelamos a Afrodita, la diosa del amor sexual.

Llamar a cualquier diosa (el término técnico es invocar) fortalecerá el poder de tu magia femenina, o la fabricación
de tu hechizo. Existen docenas y docenas de diosas a escoger,
así que querrás hacer tu tarea y apelar al aspecto de la diosa
que mejor armoniza con tu intención. (Véase el apéndice para
una lista de diosas y sus especialidades).

Para este ritual en particular, vamos a invocar a la diosa
griega del amor y el deseo, Afrodita. ¿Sabías que Afrodita es, en
realidad, una Diosa Madre? No deberías sorprenderte. Afrodita
es una diosa que disfruta de sus placeres y de los hombres. Esta
deidad es adorada por hombres y mujeres. ¿Crees que el hecho
de que sea madre atenúa su sexualidad? En lo absoluto.

Ahora bien, cuando se trata de la magia, Afrodita corresponde al elemento del agua, puesto que surgió recién na-
cida de la espuma del mar. Sus colores son el rosa y el verde
agua y sus piedras sagradas son las perlas y el coral. Su flor es
la rosa y el mirto es también sagrado para ella.

Cuando invocas a Afrodita, a veces te engaña. Puede
ser dulce y amorosa, amable y generosa, o puede ser salvaje y
lasciva. Cualquiera o todas estas características de personalidad pueden manifestarse en ti cuando la invoques, así que no
lo olvides.

El Ritual de Afrodita

Para este encantamiento, necesitarás una vela rosa (con esencia de rosas, si es posible), candelero que combine, tu perfume favorito y cualquier estilo de lencería que te haga sentir
peligrosamente sexy. Vas a necesitar alrededor de una o dos
horas, así que prepara esto para cuando los dos tengan un
poco de tiempo para pasar solos.

También recuerda por favor utilizar un método de
control natal y practicar sexo seguro. (No, no te estoy tra-

tando de asustar; sólo estoy siendo práctica). Aquí necesitaremos de sentido común. Si vas a tener sexo, siempre existe la posibilidad de concebir. Según la mitología, Afrodita tuvo muchos hijos —así que, a menos que desees lo mismo, toma algunas precauciones.

Para comenzar este ritual, toma un baño voluptuoso. Cuando te levantes de la tina, di el nombre de Afrodita y pídele que te dé confianza y te ayude a sentirte más hermosa y seductora esta noche.

Sécate y deslízate en la lencería. Unge con perfume cada uno de tus puntos de pulso. Ve a la habitación, prepara la cama y enciende la vela rosa. Una vez que la llama esté ardiendo, visualízate como una diosa sensual y poderosa, y una mujer de embrujo.

Repite los siguientes versos del hechizo:

Por el aroma y el color, este hechizo ha comenzado,
para el bien de todos, sin lastimar a nadie,
afirmo mi poder femenino en esta noche,
la magia de la mujer, que emana del satín y la luz de las velas.
Afrodita, diosa de la pasión y el amor,
escucha mi llamado y responde con gentileza desde lo alto.

Ahora llama a tu hombre a la recámara y ve cómo te responde en tu ánimo realzado por Afrodita y la lencería. Te puedes imaginar qué sigue. Deja que la vela arda en un lugar seguro hasta que se consuma.

Mantén ardiendo la flama del hogar:
ideas sexys y prácticas para mujeres de verdad

> *Lo que este mundo más necesita es amor:*
> *sudoroso, amistoso y desvergonzado.*
>
> Robert A. Heinlein

Esa flama apasionada de los primeros días de la relación no se ha ido para siempre, simplemente está a fuego lento. Necesita unos cuantos codazos para que el fuego prenda otra vez. Puedes comenzar este proceso reclamando un poco de tiempo a solas para ustedes dos. Después echa una ojeada crítica a los otros temas que abordamos en este libro y aplícalos a tu vida.

La seducción amorosa es una herramienta que nunca pasa de moda. Se necesita cierta cantidad de confianza para seducir a alguien, así que tienes que confiar en ti misma. Eres una mujer seductora y hechizante. Apaga ese monólogo interno que critica cada parte de tu anatomía. Aquí tienes algunas ideas prácticas para que lo intentes:

- Si has tenido un par de niños o no estás dotada de un estómago plano, sólo acuéstate. Cuando te acuestas sobre tu espalda, todo se acomoda y tu vientre se ve más plano. Bien, así que tienes unas cuantas estrías y tu vientre no está tan firme como antes. Bueno, ¿y qué? ¡Ese vientre tenía vida! Si yo tuviera que elegir entre mis niños y un vientre de lavadero, escogería a mis hijos. Las mujeres son suaves y tienen curvas. Siéntete orgullosa de la mujer y la madre en que te has convertido, acéptalo y sigue adelante.

- Encuentra un camisón corto que llegue a la mitad de tus muslos. (Un poco de camuflaje estratégico, si quieres). Esto te puede hacer sentir mejor. Busca un camisón corto, algo que tenga tirantes, así que si tu hombre quiere llegar a tus pechos, puede. Pero aun así puedes mantener cubierta la sección del medio durante el sexo, si eso te hace sentir bien. ¡Dudo que se dé cuenta!

- Aquí tienes otra idea, no importa qué edad tengas: apaga la luz y enciende unas cuantas velas. La luz de velas es muy favorecedora y es la mejor amiga de una mujer. ¿Debo acaso recordarte que fue el hombre el que inventó el foco? Si las mujeres se salieran con las suya, no habría iluminación fluorescente o incandescente que de esa manera tan severa expone cada arruga, golpe, defecto o, —el cielo nos libre— cabello gris.

- Tómate el tiempo para hacerte un poco de arreglo personal. No, no te estoy sugiriendo que salgas a hacerte la depilación del bikini brasileño —¡por todos los dioses, eso es bárbaro! Estaba pensando en cosas más del tipo de rasurarte las piernas regularmente para mantenerlas suaves. Es difícil colmar de atenciones a unas piernas de erizo, y queremos que él te prodigue su atención.

- Humecta tu piel y consiente tu cuerpo. Busca una loción corporal perfumada –o sin perfume, lo que vaya contigo. Ponte tu perfume favorito a la hora de acostarte.

- ¿Qué tal ponerte en la cama tu ropa interior sexy favorita? Los dioses saben que no dormirás con ella. De cualquier manera, me impresionaría si lograras evitar que te la arrancara en los primeros diez minutos. Y si lo hace… estoy segura de que estará contentísimo de comprarte algo nuevo que pueda desgarrar otra vez en un futuro cercano.

🜚 No te preocupes por tu edad. ¿Qué más da si tienes treinta, cuarenta, cincuenta o lo que sea? Piensa en todo lo que has aprendido a lo largo de los años sobre el amor y el sexo. Son años de experiencia a los que puedes dar buen uso, y eso sólo te vuelve más deseable, mundana y experimentada. Quiero decir, seamos honestas. ¿Tú crees que un hombre de verdad tiene ganas de tratar cada noche con una virgen temblorosa y tímida? Ni loco. Lo que él quiere es una mujer experimentada, confiada, lujuriosa, que puede dar todo lo bueno que logre conseguir.

Si primero logras sentirte bella, segura de ti misma y seductora, hay muchas más probabilidades de que tu interludio romántico sea un éxito. Siéntete confiada y tómate el tiempo para prepararte para un poco de amor. Ahora apela a tu vasta sabiduría hechicera y ve a seducir a tu hombre. Nunca sabrá con qué le pegaron.

El ataque sorpresa:
AMOR EN LA TARDE

> *La espontaneidad es el momento de la libertad personal*
> *cuando nos enfrentamos a la realidad,*
> *y la vemos, y la exploramos en consecuencia.*
> VIOLA SPOLIN

A veces, cuando quieres ser romántica, tienes que probar el ataque sorpresa. Oh, vamos, ya sabes de qué estoy hablando. Para la mayoría de las parejas, es difícil que llegue la pasión espontánea en estos días. Cuando tienes que compaginar los empleos, las labores domésticas, arreglar el patio y los niños, supongo que es por lo que le llaman "tener suerte". Sin embargo, con el ingenio y la creatividad de una Bruja, también es completamente posible.

Una mujer hechicera que conocí era muy inteligente. Se levantaba temprano, mientras que su esposo era un búho nocturno. Entre sus conflictivos horarios de trabajo, a menudo ella estaba demasiado cansada en la noche para el sexo. Durante la mañana, él dormía y ella estaba despierta. Cerca del mediodía, cuando ella sentía ganas, él por lo general estaba en el trabajo. Sus ritmos de vida estaban totalmente descoordinados. Como resultado, se encontraban más distantes de lo que cualquiera de ellos hubiera deseado.

Un domingo en la tarde, resultó que sus hijas pequeñas estaban fuera con sus abuelos y ella y su esposo tenían la casa para ellos solos. Desafortunadamente, una vez que salieron las niñas, su hombre se distrajo viendo un partido de futbol y aunque ella había tratado muchas veces de atraer su atención y hacerle saber que estaba con ánimos, él sólo prestaba atención a medias. Ella consideró golpearle la cabeza con una sartén, pero este parecía ser un preludio poco adecuado para una tarde de pasión.

Así que se levantó, preparó la cama y encendió unas cuantas velas rojas. Se tomó un momento e invocó a Lilith, la diosa sumeria de la pasión y el deseo. Lilith es una fuente de poder de la sexualidad y no es para que se invoque a la ligera. Sin embargo, esta bruja había trabajado antes con este aspecto de la Diosa, así que se sentía cómoda con su decisión. Además, quería tener sexo salvaje —una sesión de hacer el amor del tipo de arrancarse la ropa, si me entienden—, así que Lilith era la elección natural. Confiada con su selección, la bruja se retocó el maquillaje, se roció un poco de perfume y regresó a la sala a sentarse pacientemente junto a su marido en el sillón.

Cuando llegó el siguiente comercial, le tocó el brazo y le dijo algo que nunca antes le había dicho a su esposo. Tal vez fue la influencia de Lilith, o tal vez fue su propio ánimo atrevido, ¿quién sabe? En un tono casual, como si estuviera conversando, le dijo a su esposo, "sabes, siempre he querido saber si te podía hacer sexo oral".

Su esposo estaba tan sorprendido que dejó caer el control remoto y se la quedó viendo. Ella sonrió lentamente y sugirió que, puesto que de hecho tenían la casa para ellos solos, tal vez esta sería la ocasión para probar. En este punto, lo besó en la mejilla, se levantó, cerró la entrada con llave, y le lanzó a su esposo una mirada sensual por encima del hombro mientras le anunciaba que lo esperaría en la recámara.

De acuerdo con mi información, su esposo no alcanzó a ver el final del juego de futbol. Tampoco le importó. Esa tarde fue un hombre muy feliz, quien a su vez pasó la tarde asegurándose de que su hechicera esposa fuera una mujer satisfecha y muy complacida.

EN CADA MUJER HAY UNA PEQUEÑA BRUJA

> *La valoración viene desde adentro, no desde afuera,*
> *el Dios y la Diosa existen dentro de ti.*
> *Tu voz interna dice: "Soy Soberana.*
> *Soy una persona para mí misma."*
> LAURIE CABOT, *THE WITCH IN EVERY WOMAN*

Con toda esta charla sobre sexo e incitar a tu hombre, pienso que es importante cerrar el capítulo poniendo de regreso la atención en ti. He aquí un pensamiento interesante: el sexo no se trata de lo que la otra persona piensa de ti, de hecho es sobre lo que tú piensas de ti misma. ¿Eres feliz, estás segura y llena de fe en tu propia divinidad?

Esta es la parte en la que te digo una vez más que eres una diosa, así que actúa como una. A los hombres les atraen más las mujeres que se encargan de su propia felicidad. Si eres una mujer *empoderada*, vas a tener una vida más feliz y una mejor experiencia sexual. Como mujeres, deberíamos ser atrevidas y tener muchos conocimientos, y simultáneamente utilizar nuestros naturales e increíbles poderes sexuales otorgados por la Diosa. Aprende a crear intimidad; esto enriquece el sexo para todos los involucrados. Hay mucho más en una relación sexual que el puro acto sexual en sí mismo. Un beso, una risa compartida, una caricia, mezclar las energías personales y compartir emociones son todos actos íntimos, los cuales pondrán el erotismo de regreso en el acto del amor.

Existen unas pocas lecciones que podemos aprender de la Diosa cuando se trata del acto físico del amor, siendo el más importante que si tú no honras tu propio sentido de divinidad, no esperes que nadie más lo haga. Disfruta al hombre o los hombres de tu vida. Trátalos como deseas ser tratada tú misma: con generosidad, amabilidad, humor, sentido de la diversión y amor. Deja la manipulación, las luchas de poder y los juegos mentales fuera del dormitorio.

La sexualidad es una celebración, así que sé sensata cuando escojas con quién celebrar. En otras palabras, compartir tu cuerpo con un hombre es el regalo más importante. Si no lo consideran tal, entonces no merecen tu tiempo ni tu esfuerzo. Trata a tu cuerpo como el lugar sagrado que es. Tú eres divina; eres una encarnación viviente de la Diosa. Eres soberana y eres sagrada. La soberanía es un tipo de poder supremo y es una posición de autoridad sabia. Recuérdalo y actúa en consecuencia.

Por último, tú, como mujer, eres una encarnación de la Diosa. Como tal, eres una fuerza creativa. Toda la sexualidad es asunto de creatividad: es el compartir energías creativas, amor y confianza. Como mujer que hace encantamientos, puedes crear vida o crear nuevos proyectos. Puedes crear, y crearás, una relación más profunda y sincera con tu esposo o compañero y puedes ser el artífice de un cambio positivo y fabuloso en tu vida.

Cree en ti misma, y la magia ya ha comenzado; como tú lo desees, entonces deberá ser.

Capítulo 6
Flores hechiceras, gemas que deslumbran y hierbas cautivantes: hechizos de amor, fascinaciones y encantamientos

Te puse un hechizo
porque eres mío...

Jay Hawkins

Cuando haces magia amorosa con el espíritu de "para el bien de todos", abierta y honestamente, tienes una mayor responsabilidad de que el resultado sea exitoso. El amor no es egoísta, ni busca doblegar la voluntad. Así que si abrazas la esencia del amor con un espíritu de amabilidad y generosidad, tus hechizos tendrán mucho mayor posibilidad de tener éxito. Cada uno de los actos de magia que lleves a cabo debe ser trabajado para el mejor resultado posible y por el bien de todas las partes involucradas. Es de importancia vital que recuerdes que nunca deberías intentar manipular las emociones de otra persona con magia. Si lo intentas, o si de alguna manera lo logras, pagarás el precio. Sólo no digas que no te lo advertí.

Tan sólo la mención de posiblemente manipular a otra persona con magia amorosa encenderá todo un debate entre los practicantes de la magia. ¿Por qué, te preguntarás? Bueno, ¿crees que es justo o tan siquiera correcto asumir que sabes lo que es mejor para otra persona? No, no lo es. Así que ten esto en mente cuando trabajes en estos hechizos y encantamientos.

Notarás que la magia en este capítulo no se dirige a nadie en específico. Estos hechizos, de hecho, se enfocan en quien los lanza y en sus reacciones a diferentes situaciones. La mayoría, si no es que todos estos hechizos y encantamientos cerrarán con una "coletilla". Una coletilla son unas pocas líneas para cerrar, que tú pones como "etiqueta" al final de un hechizo. Esto asegura que la magia no es manipuladora y trabaja para la libre voluntad y el bien de todos.

Recuerda que el poder de una Bruja viene de adentro, del alma. Es una expresión de su personalidad y su amor y compasión por los otros. La magia se crea a través de los poderes naturales de la naturaleza, tu propia sabiduría, el respeto hacia ti misma y la confianza en ti misma. Ten presente este hecho y encontrarás mucha felicidad y éxito conforme trabajes tu magia del amor.

FASCINACIONES FLORALES PARA EL AMOR

> *Fue fascinación, lo sé*
> *el verte sola bajo la luna llena*
> *cuando toqué tu mano y en el siguiente momento te besé*
> *la fascinación se convirtió en amor.*
> DICK MANNING, *FASCINATION*

Una fascinación floral es un término que acuñé hace años. Como lo comentamos previamente, una fascinación es el arte de guiar la conciencia o la voluntad del otro hacia ti; "fascinar" es ordenar o hechizar. Las fascinaciones florales son conjuros simples y encantamientos florales que se trabajan con materiales florales frescos para cualquier propósito mágico.

Comenzaremos con nuestra clásica flor para el amor, la rosa roja. Este capullo es sagrado para la diosa griega del amor, Afrodita, y su contraparte romana, Venus. De acuerdo con la leyenda, todas las rosas eran originalmente blancas hasta el día en que Afrodita caminó entre las rosas salvajes y fue arañada accidentalmente por las espinas. Unas gotas de su sangre salpicaron los pétalos blancos y como disculpa la rosa se volvió roja para siempre. La diosa estaba tan conmovida por la petición de perdón de la flor, que la adoptó como su emblema de ahí en adelante.

Como mencioné en el primer capítulo, las rosas, especialmente las rojas, han sido símbolos tradicionales del amor, la sexualidad y el romance durante siglos. Su aroma seductor a menudo se guarda en perfumes y la fragancia de las rosas crea una atmósfera erótica.

Durante la era victoriana, el lenguaje de las flores era sumamente popular. En esta colorida tradición, cada flor tenía un significado "secreto". Y este es el lenguaje de las flores que está incorporado a las fascinaciones florales. Unos pocos ejemplos: el clavel atrae el entusiasmo y la energía, los narcisos simbolizan la caballerosidad y los tulipanes representan la fama y simbolizan un amante perfecto. Los capullos de lila fragantes simbolizan un primer amor. Los lirios representan el amor erótico, mientras que las margaritas simbolizan inocencia y cada color de rosa tiene un significado diferente.

Al aprovechar el lenguaje de las flores, puedes trabajar con la energía y la magia de la flor. Todos los hechizos de la siguiente sección están basados en el lenguaje de las flores, el folclor de las flores y la brujería tradicional. También notarás que los cuatro elementos están representados aquí en los diversos hechizos; rosas elegantes y lirios para el elemento del agua, el práctico y romántico tulipán para el elemento de la tierra, los claveles picantes para invocar el elemento del fuego y la fragante y tradicional lavanda para llamar al elemento del aire.

Hechizo de pétalos de rosa roja: para invocar al verdadero amor

Rosa roja, rosa orgullosa, ¡triste rosa de mis días!
Ven junto a mí, mientras canto como antaño...
William Butler Yeats

Si te encuentras en una parte emocionalmente saludable de tu vida y estás lista para traer a tu mundo el verdadero amor, este es el hechizo que hay que hacer. Este hechizo emplea pétalos de rosa frescos. Un aspecto interesante es que, cuando incorporas pétalos de rosa a cualquier hechizo o encantamiento, ayudan a agilizar la magia, ya que la rosa está alineada con el elemento del agua y las energías planetarias de Venus.

Cuando se trata de procurarse pétalos de rosa frescos, si cultivas rosas rojas en tu jardín, siéntete libre de utilizarlas.

De otro modo, un viaje para visitar al amistoso florista del vecindario funciona. Pregunta al florista si tiene algunas rosas casi totalmente abiertas, lo que significa que probablemente no las utilizarán para los arreglos —sin embargo, será más fácil recoger los pétalos de esas rosas suaves y abiertas. Pueden incluso venderte las rosas abiertas con descuento. Ciertamente, no se pierde nada con preguntar.

INSTRUCCIONES Y MOMENTO APROPIADO

Lanza este hechizo en un viernes, el día sagrado de las diosas del amor Freya, Venus y Afrodita. Trabaja en este hechizo sólo en una fase de luna creciente, ya que como la luna crece cada noche durante esta fase, aumenta tu magia y ayuda a atraer hacia ti cosas nuevas y mejores. En este caso, trae un nuevo amor a tu vida. Si por casualidad la luna llena cae en viernes, ¡tienes suerte! Entonces el momento es doblemente poderoso para el romance o los hechizos y encantamientos de amor.

MATERIALES

- Una vela rosa (para el viernes y para las diosas del amor)
- Un candelero que combine
- Cerillos o un encendedor
- Pétalos de rosa roja de varias rosas (las rosas rojas simbolizan el verdadero amor y el deseo)
- Un pequeño cuenco de vidrio, cerámica o cristal (usa un cuenco hecho con materiales naturales, no de plástico)
- Una superficie plana y segura para prepararlo o utiliza tu altar de amor

Para comenzar, separa los pétalos de rosa y disponlos en una pila limpia en tu superficie de trabajo. Coloca el cuenco junto a la pila. Enciende la vela y tómate unos momentos para centrarte. Ahora escoge un pétalo y nombra una cualidad que quisieras encontrar en tu futuro amor. Después de que nombres el rasgo, deja caer el pétalo en el cuenco. Recuerda mantener este hechizo sin manipulación y no digas el nombre de nadie aquí o estás pisando la raya. Di cosas como "un buen sentido del amor", "honestidad", "mente abierta", incluso "aguante en la alcoba". Haz una lista de los rasgos de personalidad que buscas en un hombre. Después de haber enlistado las características de este hombre, recoge los pétalos que queden y añádelos también al cuenco. Mientras espolvoreas lentamente los pétalos en el cuenco, di:

> *Que estos pétalos le ayuden a apurar su camino hacia mí*
> *y como lo deseo, así será.*

Ahora sostén el cuenco lleno de pétalos hacia la luz de la luna creciente y repite los siguientes versos del conjuro. Di:

> *Esta rosa es una flor mágica y sagrada.*
> *Diosa, escucha mi súplica en esta hora de medianoche.*
> *Cuando añadí estos pétalos de rosa al cuenco de cristal,*
> *nombré las cualidades que deseo tenga mi amante.*
> *Pétalos fragantes, llenos de fuerza y poder,*
> *propaguen mi súplica en esta noche de luna llena.*

Pon de nuevo el cuenco lleno de pétalos de rosa en la superficie de trabajo/altar de amor. Deja que la vela arda hasta que se consuma sola. Sólo échale un ojo, nunca dejes una vela encendida sin vigilar.

A la mañana siguiente lleva afuera el cuenco lleno de pétalos de rosa. Voltéate hasta quedar de frente al sol que se levanta. Después mete la mano en el cuenco y recoge los pétalos, y lánzalos lo más alto que puedas al aire. Déjalos donde caen como una ofrenda a la diosa del amor. Cierra el hechizo con esta línea:

Al alzarse el sol brillante, este hechizo se termina.
Para el bien de todos, sin daño para nadie.

Hechizo de hojas de rosa:
para escoger entre dos amantes

Desgarrada entre dos amantes,
sintiéndome como una tonta,
Amarlos a los dos es romper todas las reglas…
Peter Yarrow y Philip Jarrell,
Torn Between Two Lovers

De acuerdo con cierta mitología, si una doncella soltera tenía más de un amante, se creía que debía tomar hojas de rosa y escribir en ellas los nombres de sus amantes antes de lanzarlas al viento. La última hoja que llegara al suelo llevaría el nombre de aquel amante con quien se debía casar. El viejo folclor como en este caso, estimula mi imaginación. Lo que sigue es un giro divertido y moderno a las viejas leyendas sobre flores.

INSTRUCCIONES

Este hechizo puede ser realizado en cualquier momento. Recomiendo que se haga durante el día, de modo que tengas suficiente luz para ver qué hoja llega al suelo en último lugar. Toma dos hojas perfectas y frescas de rosa y escribe con suavidad los nombres de tus amantes en las hojas, uno por hoja. (Escribe sus nombres completos y para esta tarea utiliza una pluma de punta suave; de esa manera la hoja no se desgarrará.)

Una vez que estés lista, sostén ambas hojas en la palma de tu mano, y levanta tu mano en alto hacia adelante. Ahora repite los siguientes versos del hechizo:

> *Hoja de rosa, hoja de rosa, tan verde y suave*
> *escucha mi ruego, ayúdame a decidir*
> *hay dos que han ganado mi corazón*
> *revélame el mejor amor para mí, con este arte de Bruja*

Ahora lanza las dos hojas lo más alto que puedas y observa qué hoja llega al piso al último. La que lo haga, según el folclor, representa el mejor hombre para ti.

Fascinación de claveles

> *Del trémulo invierno, la más bella flor de la estación*
> *Son nuestros claveles y clavelinas rayadas*
> Shakespeare, *A Winter's Tale*

El clavel es una flor llena de historia vinculada con muchas deidades grecorromanas. Era sagrado para Jove, también llamado Júpiter en el panteón romano. Su ároma restaura la energía e imparte energías curativas. Si has tenido una riña de enamorados y quieres curar el daño hecho por una pelea tonta, el clavel es la flor con la que debes trabajar.

Abajo enlisto las leyendas asignadas a los colores específicos del encantador clavel. No olvides que un clavel rojo y blanco se puede utilizar también para simbolizar el fin de una relación. En cambio, de acuerdo con otras definiciones victorianas de las flores, es una manera de decir a alguien que estás genuinamente arrepentida. Usa tu intuición y decide por ti misma qué definición te va mejor.

> *Blanco:* Amor verdadero y buena suerte (lo que explica por qué es una flor tan popular para las bodas)
> *Amarillo:* Amistad y alegría
> *Naranja:* Energía y vitalidad
> *Rosa:* Amor y afecto dulce e inocente; también simboliza el amor maternal
> *Morado:* Pasión y poder
> *Rojo:* Admiración y amor
> *Vino:* Profundo amor y pasión
> *A rayas rojas y blancas:* Arrepentimiento; "lo siento" o, "no comparto tu afecto"

Los claveles son una gran flor para trabajar la magia, ya que guardan un golpe mágico de energía, protección y poder. Lo mejor de todo es que no son caros y son fáciles de encontrar. Puedes incluso cultivar una variedad miniatura de claveles en el jardín soleado de tu casa. Estas flores encantadoras están unidas al elemento del fuego y al sol.

UN HECHIZO PARA CURAR UNA RIÑA ENTRE ENAMORADOS

Este hechizo es simple; cae bajo la categoría de "encantador". Primero, compra unos pocos tallos de claveles utilizando la guía de colores y sus significados que se enlista arriba. Asegúrate de que la persona que recibe estas flores como disculpa está abierta a la idea de la magia. Después toma el ramo envuelto en las manos y repite el siguiente encantamiento tres veces:

El clavel es una flor fragante y especiada
que proyecta energía y poder mágico.
por Júpiter, esta flor envía verdadera energía curativa,
ahora terminemos esta riña tonta entre tú y yo.

Ahora cierra el hechizo con estas palabras:

Por el bien de todos, sin dañar a nadie
esta fascinación floral se ha terminado.

Finalmente, entrega tú misma las flores, con una sincera disculpa.

Por favor recuerda: esta fascinación de claveles es también un hechizo adaptable. Es un gran hechizo para utilizarlo cuando peleas con un amigo (o amiga) o si quieres suavizar las cosas con un familiar irritado.

TULIPANES Y TENTACIÓN

Por lo general evito la tentación,
a menos que no pueda resistirla.
MAE WEST

La definición tradicional del tulipán, de acuerdo con el lenguaje de las flores, es riqueza, fama y generosidad. De hecho, en el apogeo del vocabulario floral durante la era victoriana, recibir tulipanes rojos era una ardiente declaración de amor. Los tulipanes corresponden al elemento de la tierra y tienen la asociación planetaria con Venus.

El tulipán declara también un intenso amor y que la persona que los recibe es "el amante perfecto". Los tulipanes simbolizan asimismo la celebración de muchos años felices juntos. Los diferentes colores de los tulipanes tienen cada uno un mensaje encantador. Examina concienzudamente la siguiente lista de magia del color para ver qué tono de tulipán se adapta mejor a tus finalidades o al tema de tu magia amorosa.

Verde: La opulencia y la riqueza del amor
Rosa: Un amor dulce y soñador
Rojo: Amor apasionado
Rojo y blanco: Unidad
De distintos colores: "Tienes bellos ojos"
Blanco: Una amor perdido
Amarillo: Alegría, "Estoy enamorado de ti sin remedio"
Amarillo y naranja: "Pienso en ti con pasión"
Amarillo y rojo: ¡Felicidades!

Para esta fascinación floral, puedes utilizar o bien tulipanes que crezcan en una maceta, recién cultivados de tu jardín, o comprarlos del florista. Arregla los tulipanes en un lugar prominente de la habitación o disponlos en tu altar. Recuerda utilizar el color de tulipán que corresponda con tu intención.

MATERIALES

- Tulipanes en una maceta o florero
- Una vela blanca para té sencilla
- Un recipiente para la vela
- Encendedor o cerillos
- Una superficie plana y segura para colocarlo

INSTRUCCIONES

Enciende la vela de té y visualiza la pasión que quieres hacer que aumente entre tú y tu amante. Repite los siguientes versos tres veces:

Los tulipanes son perfectos para representar
   placeres terrenales
esta fascinación traerá pasión sin medida.
Ahora tejo con ternura este encantamiento de amor.
Los pétalos y la pasión con el poder de tres veces tres.
Por el bien de todos, sin daño a ninguno,
esta fascinación floral ha comenzado.

Deja que la vela del hechizo arda hasta consumirse en un lugar seguro. Deja los tulipanes hasta que comiencen a marchitarse, entonces deshazte de ellos limpiamente. Si es posible, añádelos a tu pila de composta o al desperdicio de tu jardín.

SAQUITO DE LAVANDA Y VIOLETA PARA EL AMOR

Quienquiera que ame, cree en lo imposible.
ELIZABETH BARRETT BROWNING

La hierba de lavanda se asocia con el planeta Mercurio y el elemento aire. La lavanda es un componente tradicional en los hechizos y encantamientos de amor. Una clásica planta de jardín de bruja; es una popular planta perenne de sol en el jardín casero. Su fragancia es anticuada, encantadora, y se dice que atrae a los hombres. La violeta es sagrada para la diosa Afrodita/Venus y está ligada al elemento del agua. Cuando combinas el follaje en forma de corazón de las violetas y la lavanda, tienes una receta poderosa para un saquito que estimula al amor y (dicen los rumores) a la lujuria.

ÉPOCA

Crea este saquito fascinante bajo la luna creciente para aumentar las vibraciones amorosas y atraer a ti el romance y el amor. También puedes crear este hechizo en un viernes para aumentar las vibraciones que incitan al amor y a la pasión.

MATERIALES

- Una bolsita de organza de las que se usan para regalo —prueba el morado para la pasión o el rosa para el amor
- Flores y follajes de lavanda
- Capullos de violetas salvajes y unas hojas (nota: si no es época de violetas, usa hojas y capullos de violetas africanas)

INSTRUCCIONES

Rellena bien la bolsa con la lavanda, las violetas y unas pocas hojas de violeta con forma de corazón del patio o el jardín. Después cierra la bolsa, anúdala tres veces y di los siguientes versos mientras amarras los nudos:

> *Tres nudos para la Doncella, la Madre y la Vieja*
> *empoderan esta bolsa y las plantas que cultivé*

Sostén el saquito entre las palmas de las manos. Visualiza una energía rosa brillante que emana del saquito de hechizos. Ahora di el verso del hechizo:

> *Lavanda para la suerte, la lujuria y la atracción sincera*
> *su fragancia encantadora aumenta todo lo que hago.*
> *Las violetas son sagradas para la Diosa del amor,*
> *que ella atienda mi llamado y responda desde lo alto.*
> *Promueva la pasión y el amor; que ayude a abrir su corazón,*
> *este hechizo del saquito está sellado por la rima y el arte de*
> *una bruja.*

Puedes mantener contigo la bolsa de hechizos, en tu persona o en tu bolsillo. Puedes también guardarlo fuera de la vista en el dormitorio. Deslízalo en un cajón de la mesita de noche o métalo bajo el colchón. Y si no te sientes particularmente sutil, entonces amárralo a la cabecera de tu cama.

Este hechizo se puede refrescar meses después, si es necesario. Sólo desecha los componentes herbales limpiamente en el jardín y añade a la bolsa ingredientes frescos. Repite los versos del hechizo para reactivar la magia.

LILITH Y LIRIOS:

DESATA A LA TIGRESA QUE LLEVAS DENTRO

> *La gente que es sensible respecto*
> *al amor, es incapaz de entenderlo.*
> DOUGLAS YATES

¿Las cosas en el dormitorio son demasiado desabridas para tu gusto? De acuerdo con el folclor de las flores, el lirio es un símbolo del amor erótico. Y considerando que el color naranja estimula el valor y el entusiasmo, esta sería la flor perfecta para hacer que regresara lo "salvaje" a tu relación física. Los lirios se asocian con la luna y el elemento del agua. Para esta fascinación floral, necesitamos invocar a Lilith, la diosa sumeria de la lujuria, el amor y el poder femenino.

Técnicamente, cuando invocas a las deidades les estás pidiendo que te presten sus fuerzas y sus especialidades. En cierta manera, es una forma de posesión divina. Por lo tanto, no se debe ejecutar con ligereza. Es importante saber qué atributos personales puedes estar cargando cuando invocas a una deidad en ti misma.

Además de sus asociaciones con la sexualidad, Lilith se asocia también con la sabiduría, la igualdad, el poder femenino y la independencia. Lilith estimula a las mujeres a vivir en sus propios términos. Puede ser una diosa poderosa para trabajar con ella, siempre y cuando recuerdes que el sexo, al igual que la magia, nunca debería ser utilizado para lastimar, coaccionar o controlar deliberadamente a otra persona de ningún modo.

Lilith es una deidad interesante. En su libro *ABC of Witchcraft*, Doreen Valiente la describe como la hechicera seductora, la bella vamipresa y la máxima *femme fatale*.

Imagínatela envuelta en rojo profundo y negro flotante, con alas color de cuervo y pelo negro y suelto. Sus ojos son del negro más profundo y su piel pálida y traslúcida. Ella te sonríe lentamente y conforme se curvan sus labios color vino, puedes alcanzar a vislumbrar sus dientes alargados. Lilith es seductora, misteriosa, maravillosa —y peligrosa.

A partir de mi experiencia personal he encontrado también que Lilith tiene un sentido del humor muy ácido, así que piensa bien qué cualidades le pedirás cuando la invoques. Te llevará a un paseo salvaje, así que no te sorprendas si te sientes con un poco de resaca de la magia a la mañana siguiente. Por supuesto, este es un pequeño precio que hay que pagar por una noche encantada y salvajemente pasional.

MATERIAL

- Lirios frescos en un florero con agua
- Pétalos de lirio (para esparcir en la cama)
- Una vela naranja para la energía (tú escoges qué tamaño y el estilo)
- Una vela roja para la pasión (tú escoges el tamaño y estilo)

- Una vela negra para Lilith (tú escoges qué tamaño y estilo)
- Candeleros que combinen
- Encendedor o cerillos
- Una superficie plana y segura

ÉPOCA

Trabaja en este hechizo durante la noche; es la hora de Lilith. Si quieres incorporar energías lunares al hechizo, trabaja cuando la luna está menguante u oscura. Dispersa unos cuantos pétalos de lirio en la cama, después pon el florero con flores en tu área de trabajo/altar y arregla las tres velas una junto a la otra (asegúrate de que las llamas de las velas se mantengan lejos de las flores). Para comenzar, enciende la vela naranja y anuncia: "Para atraer energía." Después enciende la vela roja y di: "Para inspirar pasión." Finalmente, enciende la vela negra y di: "Para llamar a Lilith".

Toma unos minutos y prepárate. Ahora visualiza que Lilith viene en tu ayuda y que te trae sus regalos de seducción y pasión. Ahora di en voz alta:

> *Hay una tigresa adentro esperando salir*
> *tendré confianza, y no hay duda de ello*
> *Lilith, ven a mí, que sea más seductora y llena de diversión*
> *trayendo placer erótico a los dos, y sin dañar a ninguno*

Deja que las velas ardan hasta que se consuman solas y disfruta la noche con tu hombre. En cuanto despiertes a la mañana siguiente, cierra el hechizo con estas líneas, que aseguran que Lilith te abandone. Esta es una manera de dar las gracias y asegurar que la invocación está completamente terminada.

Al romper la aurora, te libero completamente de mi cuerpo,
mente y corazón.
Gracias, Lilith, por venir a mí; salve y adiós, ¡ ahora parte!

Si quedas cautivada por el lenguaje de las flores y este tipo de hechizos florales, por favor remítete a mi primer libro, *Garden Witchery*, para mucha más información, mitología floral, folclor floral y fascinaciones.

Todo lo que haces es magia:
HECHIZOS DE AMOR CORTOS, DULCES Y SIMPLES

Cualquier cosita que hace es magia,
cualquier cosa que hace me enciende,
aunque mi vida antes era trágica,
ahora sé que mi amor por ella sigue...
STING, *Everything She Does Is Magic*

151

Ahora bien, para aquellas que quieren un tipo de magia "sin alboroto ni desorden", aquí les va. Encontrarán muchos tips e ideas para atraer el amor y el romance a su vida. Estos pequeños hechizos y encantamientos son cortos, dulces y simples. Son para encantar la joyería que ya posees, o tal vez te inspirarán a salir y crear algo nuevo para adornarte. También hay hechizos herbales fáciles que no toman tiempo para hacerse. Puedes realizar estos simples hechizos siempre que surja la necesidad. O puedes aprovechar las energías lunares —una luna creciente atrae el amor hacia ti, una luna llena da a tu magia un golpe mágico de poder.

También, no olvides los días de la semana que son complementarios para el éxito, el amor y el deseo. Puedes trabajar en un sábado para el éxito, en jueves para más pay energía o en un viernes para el amor y el romance. Los pequeños hechizos que se enlistan a continuación requieren ingredientes simples, sólo uno o dos objetos. Las rimas son dulces y el tiempo que lleva ejecutarlos es... bueno, corto.

UN HECHIZO DE GRANATE FASCINANTE

El granate es una piedra proyectiva asociada con el planeta Marte y tiene la apasionada influencia elemental del fuego. El granate puede fortalecer al cuerpo y se puede utilizar para aprovechar mágicamente tus recursos suplementarios de energía. Los granates te ayudarán a reforzar tu escudo de energía personal (también llamado el aura) a su nivel más alto y brillante. El granate aumenta tu poder personal y anuncia que tienes una energía para tomarse en cuenta.

Lleva piedras de granate desgastadas en tu bolsillo para atraer confianza, romance y amor a tu vida. Lo mismo lograrás usando joyería que tenga granates. Se rumora que si utilizas aretes de granate, atraerás a un nuevo amante. Carga las piedras de granate, joyería o aretes con el siguiente verso:

> *Los granates son una piedra de rojo oscuro y brillante que atrae el romance.*
> *¡Deja que su magia se arremoline a tu alrededor y entre un buen hombre!*

UN ENCANTAMIENTO PARA JOYERÍA DE PERLA

La perla tiene vínculos con muchas diosas del amor, incluyendo a Afrodita, Freya, Isis, Lakshmi y Venus. Las perlas simbolizan la luna y el océano, así que, tal como es de esperarse, se ligan con la magia de la luna y las asociaciones elementales del agua también.

Ahora bien, algunas personas no desean trabajar con las perlas si tienen objeciones respecto a la manera en que las perlas son cultivadas. Esa es tu decisión. Por otro lado, si posees joyería que tenga perlas, es una buena oportunidad para realizar magia en un artículo que ya es tuyo. Puesto que la perla es un objeto lunar, sostén la joyería de perla hacia la luz de la luna llena para dejar que la luz de luna la ilumine. Después repite el encantamiento:

> *Esta joya se carga para el romance y el amor, tráemelo pronto, atraído como la marea del océano y destinado por la luz de la luna.*

Toma nota: antes de entrar en pánico, la segunda línea en el hechizo ata fuerte la magia a la joyería, no a una persona.

UN BRAZALETE HECHIZADO

El cuarzo rosa es una piedra maravillosa para trabajar con ella cuando se trata de amor y romance. Esta piedra ayuda a atraer el amor a tu vida. También abre el centro del corazón, y sus energías son suaves, tiernas y cálidas. He aquí una idea astuta para que la intentes. Vamos a hacer y luego a encantar una pulsera de cuentas de cuarzo rosa para atraer la dulzura del amor y el romance a tu vida.

Acude a la tienda local de manualidades y decoración, y echa un vistazo en el pasillo de materiales para joyería. Deberías encontrar ahí cuentas de cuarzo rosa que son asequibles y muy bonitas para trabajar con ellas. Ensarta las cuentas en un cordel elástico de joyería y conforme ensartas las cuentas, una por una, repite el siguiente conjuro:

*Una cuenta de cuarzo rosa para el amor y una cuenta rosada
para el romance,
Afrodita escuchará mi llamado y responderá desde lo alto.*

Una vez que hayas ensartado suficientes cuentas como para
abarcar tu muñeca, amarra la cuerda asegurándola con un
nudo doble y cierra el hechizo de joyería diciendo:

*El bello cuarzo rosa es una piedra cálida y suave,
este brazalete mágico atrae el amor pero no daña a nadie.*

Magia de amor herbal

*Cultiva romero cerca de la entrada de tu jardín,
añade pimienta a tu puré de papas.
Planta rosas y lavanda para la buena suerte,
enamórate siempre que puedas.*
ALICE HOFFMAN, *PRACTICAL MAGIC*

Aquí tenemos unas cuantas fórmulas fáciles y rápidas para
hacer hechizos de amor herbales y bolsas de encantamientos.
Las hierbas que se requieren en esta sección son fáciles de
adquirir y usar. ¡Disfruta!

Según la antigua tradición del amor brujo, las mujeres
que buscan atraer a un esposo a sus vidas deben llevar una
bolsa de encantamientos roja rellena de hiedra verde. La hiedra es una planta femenina y simboliza el amor matrimonial,
la fidelidad, la constancia, la amistad y la tenacidad.

Recuerda no visualizar aquí a nadie específico. Si lo
haces, estás cruzando la línea hacia el territorio que no es ético y creando magia manipuladora. De modo que... sí, otra
vez notarás una coletilla hacia el final de este hechizo. Ahora

te toca a ti decidir qué cualidades desearías más para un espo
so. Prueba a pensar en estos términos: ¿qué tal un hombre de
mente abierta, que tenga sentido del humor, que sea un buen
proveedor, que sea fiel, que adore a los niños (si es que deseas
tener alguno) y que te ame incondicionalmente?

O tal vez estés interesada en un hombre culto, sofis-
ticado, que esté motivado al éxito, un pensador profundo y
apasionado. Bueno, decide qué cualidades son las más com-
patibles con las tuyas y después de llenar la bolsa de encantamientos con hiedra, di los siguientes versos para activar la
magia de la bolsa de encantamiento:

> *Hojas de hiedra, hojas de hiedra, tan bellas y verdes,*
> *mándenme un hombre valioso, el esposo de mis sueños.*
> *Por el bien de todos, sin daño a ninguno,*
> *el hechizo de hojas de hiedra ha comenzado.*

155

Carga la bolsa de encantamientos en tu bolsillo o bolsa. Guár-
dala a tu lado durante un mes entero. Si deseas incorporar algo
de magia lunar, comienza el hechizo con luna llena y cárgala
hasta la siguiente luna nueva.

ROMERO PARA UN TOCADOR ROMÁNTICO

Tal vez tu recámara se encuentra tan invadida por el desorden
que ya no la sientes especialmente romántica. Bueno, ¡arré-
glala! La recámara es un santuario. Primer paso: saca de ahí la
televisión —un asesino del ánimo como nunca hubo ninguno.
En su lugar, prueba a poner un toca CD y elige música en el
mismo ánimo. Ahora recoge y arregla el cuarto, cambia las
sábanas y guarda las ropas apiladas. Si quieres, quema unas
cuantas velas aromáticas mientras limpias. No tengas piedad
y tira toda la basura que se tenga que salir. Ya que estamos en

eso, saca la aspiradora, aspira la alfombra y limpia el polvo de los muebles. Eso es, mucho mejor.

Según el folclor, el romero se llama "hoja de elfo" y "rocío del mar". Está clasificado como una planta de energía masculina. Está ligado astrológicamente al sol y tiene la correspondencia elemental caliente con el fuego. El romero tiene una larga y colorida historia de estar incluido en hechizos inductores del amor y la lujuria, así que es la hierba ideal para hacer que el romance retorne a la atmósfera de tu alcoba.

Si cultivas romero en el jardín, sal y corta tres bonitos tallos de esta planta con aroma a pino para nuestro hechizo romántico. Si no tienes un jardín, no te preocupes, el romero fresco se vende en la sección de verduras de la tienda de comestibles, con otras hierbas para cocinar.

Para comenzar este hechizo, ata el ramo de romero con un listón rojo. Cuelga el ramo de hierbas para inducir un poco de amor y deseo saludables. Como el romero se seca lentamente, su dulzura aromatizará el aire y añadirá un poco de magia herbal a tu tocador. Una vez que has colocado el ramo herbal, hechízalo diciendo:

> *El romero inducirá deseo y amor, yo lo creo,*
> *presta tu poder al mío con este hechizo que tejo*
> *con todo el poder de tres veces tres,*
> *como yo lo deseo, así tendrá que ser.*

BOLSA DE ENCANTAMIENTOS DE ROSAS ROSADAS Y MENTA

Para nuestro último hechizo práctico, trabajaremos con una de mis flores favoritas, la rosa rosada. Históricamente, la rosa rosada atrae el amor y en el lenguaje de las flores simboliza gracia, belleza y afecto, y es justamente el boleto de entrada a esta receta particular para una bolsa de encantamiento. En el herbalismo mágico, las hojas de menta de hecho estimulan el amor, la energía y el entusiasmo. Este aroma es limpio y tonificante. Un dato interesante es que esta hierba también ayuda a estimular el amor. ¡Bueno, ahí vas!

Si tienes un jardín en casa, puede que esos ingredientes estén ya disponibles para ti. Sin embargo, si están fuera de temporada o no tienes un jardín, entonces visita al florista local y escoge unas cuantas rosas rosadas. Dile al florista que estás haciendo un saquito, así que necesitas rosas casi totalmente abiertas (puede que las consigas a precio reducido). A menudo hay menta en la sección de verduras del supermercado, al igual que romero. Si no puedes encontrar menta, entonces improvisa y usa una bolsita de té de menta. Sólo recorta la bolsa de un tijeretazo para abrirla y pon las hojas del té dentro de la bolsa de encantamientos.

Yo usaría una bolsa de organza rosa o blanca, o un cuadrado de cuatro pulgadas de tela sencilla de algodón blanca y ataría los extremos con un listón rosa. Después, con cuidado separa los pétalos de la rosa y añade algunos a la bolsa de encantamientos. Dispón capas de hojas de menta y pétalos de rosa, un ingrediente encima del otro, hasta que se terminen o la bolsa se llene. Cuando la bolsa esté llena, amárrala para cerrarla y actívala con el siguiente conjuro. Pon la bolsa en tu altar del amor, coloca las manos sobre la bolsa y di:

Hermosas rosas rosadas y menta fresca, huelen tan dulce
al traer energía y afecto que no se puede vencer
esta bolsa de encantamientos traerá al amor hacia mí,
me bendecirá la gracia del amor por toda mi vida.

Conserva contigo la bolsa de encantamientos, en tu bolsillo o en tu bolsa. Puedes renovar el hechizo y poner ingredientes frescos cada mes, si gustas.

PARA CONCLUIR...

¡Cuando hay un gran amor, siempre hay milagros!
WILLA CATHER

Espero que se diviertan trabajando en todos estos conjuros, fascinaciones, encantamientos y hechizos. Sí, dije divertirse. Las mujeres brujas y hechiceras se divierten todo el tiempo, porque la magia es una cosa alegre. Recuerden personalizar la magia siempre que sea posible. Traten de añadir su propio estilo brujil a los encantamientos. Si es necesario, remítanse al capítulo 2 y vean si pueden realizar estos hechizos con las energías de la luna. Añadan un poco de magia lunar, siempre que sea posible; esto aumenta la fuerza y poder del hechizo. Asimismo, no olviden revisar esas tablas de correspondencias para tener aún más ideas e inspiración.

Hagan sus hechizos de amor para el bien de las partes involucradas. Tengan a mano el sentido del humor y aprovechen la sabiduría de su propia naturaleza amorosa y compasiva, ya que estas cualidades les serán de gran utilidad.

Y ahora pasamos a otro tópico encantador: los ciclos y las estaciones del año mágico y cómo incorporar su energía natural a los hechizos de amor y a la magia que induce al romance.

Capítulo 7.
Estaciones del encantamiento:
folclor fascinante y magia del amor para el año

Te amé cuando el amor era primavera, y mayo,
te amé cuando el verano se volvió más hondo, en junio
y ahora, cuando el otoño tiñe de amarillo todas las hojas...
V. SACKVILLE-WEST

159

Hay un ritmo natural de nacimiento y cre-cimiento, abundancia y caída en el año del calendario. Reco-nocer estas corrientes y fluir con la magia de las estaciones es muy beneficioso para quienes practicamos la magia. Los días festivos del año de la bruja giran alrededor de las cuatro estaciones y las energías que inspiran. Estos días festivos se llaman sabbats y cada uno de ellos tiene su propia historia, tradiciones, mitologías únicas y magia que los acompaña. De hecho, cuando trabajamos en armonía con los ciclos de la naturaleza y las estaciones de la tierra, esto nos da una oportunidad de crecimiento –no sólo en un nivel mágico, sino también espiritual.

Los hechizos que se presentan en este capítulo tienen asociaciones naturales y componentes que se vinculan con su época específica en el año del calendario. Por ejemplo, cuando leas el hechizo de Lammas, que ocurre a comienzos del mes de agosto, encontrarás que el hechizo obra con el girasol. Esta época es la temporada de girasoles, así que para mí tiene sentido trabajar con los elementos naturales que estén disponibles cuando se celebran los días festivos de las brujas.

Las fiestas mágicas siguen un patrón circular que comienza con Samhain, el 31 de octubre, que es la fecha del antiguo año nuevo celta. Los sabbats ocurren aproximadamente cada seis semanas a lo largo del año. Existen en total ocho sabbats y conforme recorremos el año estamos celebrando los ciclos y las estaciones de la tierra. Reconocer estos días es una manera de ayudar a que gire la rueda del año.

Como la mitad de las fiestas mágicas caen en los días de los solsticios o equinoccios (los días que anuncian el comienzo de una estación), querrás consultar un almanaque o un calendario astrológico/mágico para saber la fecha exacta. ¿Por qué? Porque las fechas del equinoccio de primavera, el solsticio de verano, el equinoccio de otoño y el solsticio de invierno cambian cada año. Por ejemplo, el primer día del invierno, el solsticio de invierno, puede caer en o entre el 20 y el 23 de diciembre. Todo depende de cuándo entra el sol en el signo astrológico de Capricornio.

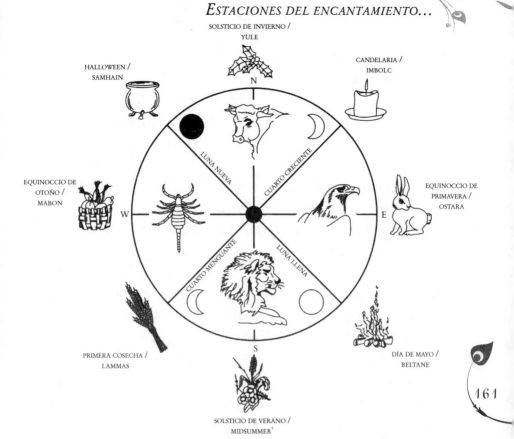

SOLSTICIO DE INVIERNO /
YULE

HALLOWEEN /
SAMHAIN

CANDELARIA /
IMBOLC

EQUINOCCIO DE
OTOÑO /
MABON

EQUINOCCIO DE
PRIMAVERA /
OSTARA

LUNA NUEVA

CUARTO CRECIENTE

W

E

CUARTO MENGUANTE

LUNA LLENA

PRIMERA COSECHA /
LAMMAS

DÍA DE MAYO /
BELTANE

SOLSTICIO DE VERANO /
MIDSUMMER*

161

Reconocer estos días es una manera de ayudar a que gire la rueda del año.

Si no tienes este tipo de calendario astrológico o mágico, busca tan sólo el primer día de primavera, verano, otoño e invierno en un calendario normal. Estas fechas son típicamente los solsticios y los equinoccios. O sólo date una vuelta por internet y haz una búsqueda de las fechas de los solsticios y los equinoccios para el año específico.

Pasa tiempo con la naturaleza y experimenta el misterio y el encantamiento de las estaciones y los ciclos de la tierra. Mira a tu alrededor y observa qué materiales de la naturaleza están disponibles para ti en cada estación. Esto puede añadir un nivel totalmente nuevo a tu magia amorosa.

---

* Con esta palabra los wicca denominan el solsticio de verano

HALLOWEEN/SAMHAIN:
31 DE OCTUBRE

> *Hada, bruja o duende amistoso,*
> *cumple el deseo que anhelas hoy.*
> POSTAL DE HALLOWEEN VICTORIANA

Hubo un tiempo mágico en el que el Halloween se celebraba simplemente centrándose en el tema de la cosecha, el misterio de la estación y la magia y la adivinación. En aquellos días, se consideraba encantadores a los hechizos y a la magia. El último grito de la moda era el folclor y un poquito de misterio y magia parecían ser la entrada a esta época del año. Este periodo de tiempo transcurrió desde la década de 1870 hasta comienzos de la de 1930, y esas pocas décadas en particular fueron lo que algunos fanáticos de Halloween consideran la época dorada. Si echamos un buen vistazo a la historia de Halloween y cómo ha evolucionado en Estados Unidos, descubriremos un brebaje hechizante de folclor, fantasía y diversión.

La celebración moderna de Halloween ha evolucionado a partir de la celebración pagana céltica de Samhain (se pronuncia *souhuen*). Samhain marcaba el final del año viejo y el nacimiento del nuevo. Era el final de tres festivales de las cosechas, y se recolectaban los comestibles y se acorralaba al ganado y todo se almacenaba en un lugar seguro para los meses de invierno que ya se acercaban.

Muchas de las costumbres modernas que quedaron unidas con Halloween de manera inextricable eran tradiciones traídas a América por los inmigrantes escoceses, irlandeses e ingleses. La linterna de calabaza, los disfraces, el decir la suerte, la adivinación amorosa y los hechizos románticos han sido todos absorbidos por la cultura norteamericana.

ADIVINACIÓN AMOROSA EN HALLOWEEN

En esta noche entre los mundos, al final de un año y al comienzo de otro, las jóvenes creían que podrían adivinar el nombre o la apariencia de su futuro esposo. Esto se llevaba a cabo la noche de Halloween utilizando diversos métodos, que incluían la rabdomancia, utilizar un péndulo, leer las hojas de té, utilizar peladuras de manzana o leer un espejo. Esta lectura, una técnica mágica para predecir el futuro, se lleva a cabo al observar adentro de una superficie reflejante —como una bola de cristal, un cuenco lleno de agua o un espejo. Este tipo de adivinación, o "coquetear con el mundo de los espíritus", proveía de un poco de diversión y añadía emoción a las festividades de la noche de Halloween en aquellos días.

Las instrucciones para trabajar con los viejos hechizos de lectura varían ligeramente. Típicamente, se tienen que llevar a cabo afuera, en la medianoche de Halloween, como éste que presento aquí. Por lo general te desafían a caminar de espaldas mientras cargas una vela encendida en una mano y un espejo en la otra. Si quieres intentar este viejo hechizo victoriano, sal en la medianoche de Halloween/Samhain con una vela encendida y un espejo de mano. Deja que la luz de luna se filtre hasta ti por unos momentos. Después da unos cuantos pasos con cuidado hacia atrás y repite el siguiente encantamiento. Una vez que hayas dicho el encantamiento, busca en el espejo un vislumbre de tu futuro amor.

> *Giren y giren, ¡oh, estrellas tan hermosas!*
> *viajen y busquen por doquier.*
> *Les pido, dulces estrellas, que me muestren ahora*
> *quién será mi futuro amante.*

Las postales victorianas de Halloween son tesoros ocultos llenos de adivinación, hechizos de amor y pequeñas piezas de leyendas mágicas. Las brujas en las postales a menudo son retratadas como mujeres hermosas, misteriosas y glamorosas; hay muy pocas ancianas. Tal vez por eso es que el arte popular sobre Halloween de aquella época es tan popular entre las brujas modernas.

Samhain/Halloween se celebra en un época gloriosa del año. Mientras la naturaleza da su espectáculo final de belleza y color del otoño, disfruta la atmósfera mágica. De alguna manera, parece un tributo adecuado al encantamiento que la Madre Naturaleza hace aparecer ante nosotros.

SOLSTICIO DE INVIERNO/YULETIDE:
21 DE DICIEMBRE

> *El acebo y la hiedra*
> *Son plantas bien conocidas*
> *De todos los árboles que crecen en el bosque*
> *El acebo carga la corona.*
> CUENTO TRADICIONAL DE YULETIDE

El solsticio de invierno es una época dichosa del año para muchas religiones. También conocido como Yule, el solsticio de invierno celebra el renacimiento del sol y el retorno de la luz a la Tierra. Este antiguo festival marca el día en que hay menos horas de luz y la noche es más larga. Una vez que el solsticio ha pasado, las horas de luz de día comienzan a hacerse más largas y la oscuridad comenzará a alejarse. El festival de Yuletide llega a nosotros desde las antiguas tradiciones paganas escandinavas. Estas festividades consagradas por el tiempo incluyen los festines, quemar el tronco de Yule y decorar el hogar con hojas perennes.

Las decoraciones clásicas naturales de acebo fresco, hiedra y tallos de hojas perennes tienen orígenes paganos. Estas plantas tienen sus propias cualidades mágicas y deberían disfrutarse en esta época del año. Por ejemplo, el acebo trae protección, la hiedra garantiza un amor fiel y las hojas perennes estimulan la salud y la prosperidad. Cuando se acerca Yuletide, ¿por qué no combinar estas plantas en un hechizo mágico natural que estimule el retorno del amor y la luz a tu vida?

Hechizo de amor y luz de Yuletide

Materiales:

- 3 velas rojas largas (las mejores son las velas altas o cirios resistentes)
- 3 candeleros, para proteger la superficie en que se disponen las velas
- Unas pocas ramitas de hojas perennes para acomodar alrededor de la base de tus velas (las hojas perennes son símbolo de vida y esperanza durante los fríos días de invierno)
- Una ramita de acebo fresco (una planta de energía masculina, para protección)
- Una ramita de hiedra fresca (una planta de energía femenina, para el amor)
- Un trozo de 12 pulgadas de listón dorado (para simbolizar la energía y la calidez del sol)
- Tu altar de amor, repisa de la chimenea o mesa del comedor.

INSTRUCCIONES:

Alinea las tres velas rojas en una línea horizontal a lo largo de tu superficie de trabajo. Coloca las ramas o ramitas de pino en las bases de las velas, asegurándote de mantener el material vivo de las plantas lejos de las llamas de las velas.

Después toma con cuidado las ramas de acebo y hiedra y amárralas en un pequeño ramo que se vea atractivo. Amarra el listón dorado alrededor de los tallos y termínalo con un moño simple. Cuelga el ramo en un lugar prominente y disfrútalo durante las vacaciones de invierno. Ahora, enciende las grandes velas rojas y repite los versos del hechizo tres veces:

Tres velas rojas para simbolizar el retorno de la luz
traen ahora romance e iluminación a mi vida
acebo para el hombre y hiedra para la mujer
tejidos juntos y luego unidos con listones dorados.
lanzo este hechizo del solsticio para traer amor
  y luz a mi vida.
por el bien de todos, que comience en esta noche
  del solsticio de invierno

Deja que las velas ardan tanto como desees. Este hechizo es un poco distinto, pues puedes volver a encender estas velas festivas siempre que lo desees durante la temporada de fiestas. Después de Año Nuevo, el primero de enero, yo dejaría que estas velas se consumieran por completo. Cierra el hechizo de Yuletide con esta línea:

Este hechizo de velas de amor se ha terminado
por el bien de todos y sin traer daño a nadie.

Limpia cualquier rastro de la vela. Desecha las hojas limpiamente; añádelas a tu pila de composta o al desperdicio de tu jardín.

Candelaria/Imbolc:
2 de febrero

> *Si llega el invierno, ¿tardará mucho la primavera?*
> Percy Bysshe Shelley

Este sabbat marca un punto a la mitad entre el invierno y la primavera. Imbolc, conocido también como Candlemas, es un día que a menudo se utiliza para predecir cuánto durará el invierno. Si está nublado y frío, se supone que la primavera llegará antes. Por otro lado, si es soleado y agradable, el invierno se prolongará seis meses más. En Estados Unidos esto se conoce también como el día de la Marmota. Aunque esta época del año puede traer algunas de las más fuertes tormentas de invierno, la luz se vuelve cada vez más intensa. La savia comienza a correr por los árboles y unas cuantas flores de azafrán están rompiendo la tierra. Mira a tu alrededor: encontrarás signos de que la naturaleza se comienza a liberar del abrazo del invierno.

Esa es la época perfecta para trabajar un hechizo curativo para ti y comenzar a dejar ir las viejas heridas y los sentimientos que quedan de una pasada relación. Este día es sagrado para la triple diosa celta del corazón y la flama, Brigit. Es una diosa de la curación, la esperanza, la luz y la poesía. Los colores que se incorporan a menudo a esta celebración de sabbat son el morado (para el poder) y el blanco (para la frescura de los nuevos comienzos). Si lo deseas, puedes añadir unos cuantos capullos de azafrán del jardín para este hechizo.

Esto sería muy apropiado, ya que el azafrán simboliza el nuevo amor y, principalmente, la esperanza.

UN HECHIZO AUTO-CURATIVO

MATERIALES
- Una vela morada
- Una vela blanca
- Candeleros
- Tramos de 9 pulgadas de listón de satín blanco y morado
- Unos cuantos capullos de azafrán (opcional)
- 3 cubos de hielo (si el tiempo lo permite, usa en su lugar una taza de nieve)
- Un pequeño cuenco de cristal
- Un encendedor o cerillos
- Tu altar de amor o una superficie de trabajo plana y segura

INSTRUCCIONES:
Coloca los cubos de hielo/nieve en el cuenco de cristal. Coloca el cuenco en el centro del espacio de trabajo y dispón una vela a cada lado de éste. Si recogiste unos cuantos capullos de azafrán, arréglalos alrededor del cuenco. Coloca los listones a la mano.

Para comenzar, enciende las velas y date unos momentos para concentrarte, calmar cualquier emoción y aclarar tu mente. Ahora recoge el cuenco y di estas líneas:

Conforme este hielo se derrite, así mi dolor
de corazón se disipa.

Suavemente deja el cuenco en su lugar y toma los listones. Vas a tenerlos en las manos mientras dices el hechizo. Visualiza una luz brillante, incandescente y curativa que viene de tus manos a los listones. Repite tres veces:

> *Brigit, diosa celta de la luz, la inspiración y la curación,*
> *ayúdame a lanzar lejos viejas heridas y abrazar*
>   *un nuevo comienzo*
> *este encantamiento autocurativo ha comenzado*
>   *en el día de Imbolc*
> *seguiré adelante y comenzaré de nuevo, de la mejor*
>   *manera posible.*

Coloca los listones encantados de nuevo en la superficie de trabajo. Deja que las velas se consuman (por favor no olvides vigilarlas). Deja que el hielo se derrita solo. Cuando lo haga, sácalo y tíralo afuera de tu puerta para simbolizar que estás tirando esas viejas heridas y esas emociones negativas. En este punto, cierra el hechizo curativo con estas líneas:

> *Para el bien de todos, sin daño para nadie,*
> *por mis palabras y mi voluntad, este hechizo está terminado.*

Limpia tu espacio de trabajo y desecha la cera de la vela que haya quedado. Ata los listones en un pequeño lazo y guárdalos en tu bolsillo o tu bolsa. O si prefieres amárralos a tu ropa; eso queda a tu elección. Conserva contigo los listones como recordatorio de que tu magia de Imbolc está trabajando para ayudar a curarte.

Hechizo del día de san Valentín
para celebrar el amor en tu vida

Si bien este no es uno de los ocho sabbats, ciertamente es un festejo tradicional para el amor y el romance. Difícilmente podríamos tener un capítulo sobre los encantamientos en las estaciones sin incluir el día de la V mayúscula, ¿verdad? El día de san Valentín no se trata de que te den un puñado de diamantes o grandes ramos de flores demasiado caras. No, por supuesto. Es un día para recordar y para celebrar el amor. Así que en este día creo que un hechizo que celebre todas las clases de amor será lo más adecuado, ya sea que estés agradecida por una relación romántica o que estés celebrando el amor de tu familia, hijos o mejores amigos.

Algunas asociaciones mágicas para este día son las imágenes de Afrodita o su hijo Eros, pétalos frescos de flores, corazones rojos y velas parpadeantes. De acuerdo con la mitología griega, Eros es el dios alado del amor que a menudo era retratado como un joven guapo y viril. Cargaba con él un arco y flechas de oro, y aquellos dardos provocaban el amor y la pasión inmediata dondequiera que aterrizaran. Ya fuera el blanco un mortal o un dios, nadie era inmune. Eros es un dios del amor físico y las relaciones, y era conocido por los romanos como Cupido.

Los materiales y las instrucciones para el siguiente hechizo son simples. Sin embargo, es también fácil dar a este hechizo del día de san Valentín algo de color. Puedes espolvorear confeti con forma de corazón o pétalos de flores frescas y fragantes en la superficie de trabajo, o añadir algunas flores frescas en un jarrón. Utiliza tu imaginación para personalizar este hechizo. En esta época del año, puedes encontrar velas de regalo con forma de corazón. Si lo haces, trabaja con ellas. Si no, no hay problema. Sólo utiliza cualquier estilo de vela roja o rosa. Escoge el rojo para el amor romántico y el rosa para el amor de la familia y los amigos.

MATERIALES:
- Una vela de tu elección (una vela de regalo con forma de corazón o la tradicional vela de hechizos roja o rosa)
- Un candelero
- Encendedor o cerillos
- Una foto de quien/es amas.
- Tu altar de amor o una superficie plana y segura

INSTRUCCIONES:
Coloca la vela y las fotos en tu altar de amor. Añade otros objetos que elijas para animar esto un poco, y arréglalos de un modo que te agrade. Oh, y sí, ciertamente puedes trabajar este hechizo para tu amante y para tus amigos y familia. Ten una vela para tu amado y otra que represente a tus familiares queridos y/o amigos.

Tómate unos momentos y estudia las fotos. Deja que tu amor y tu afecto por la gente más importante en tu vida te llenen por completo. Después, cuando estés lista, enciende la vela y repite los versos:

Por la luz parpadeante de las llamas de estas velas
llamo a Afrodita y Eros por su nombre
rezo porque cuiden a quienes amo en todo momento
les mando mi amor en este día de san Valentín
les agradezco la gracia del amor en mi vida
celebro mis bendiciones en esta noche de san Valentín.

Deja que la vela o las velas ardan hasta consumirse. Como de costumbre, te recuerdo atender tus velas. Una vez que la vela se consume, puedes arreglar tu superficie de trabajo. Si quieres, deja las fotos un día o dos y disfrútalas. ¡Feliz día de san Valentín!

EQUINOCCIO DE PRIMAVERA/OSTARA:
21 DE MARZO

> *Primavera, la dulce primavera, reina agradable en el año.*
> *Luego florece todo, luego las doncellas danzan en círculo...*
> THOMAS NASHE

El equinoccio de primavera es el día en que las horas de luz y oscuridad están perfectamente equilibradas. Recuerda revisar en tus calendarios la fecha y la hora exactas de este acontecimiento astrológico, ya que los solsticios y los equinoccios tienen fechas que cambian de año en año. El equinoccio de primavera técnicamente comienza cuando el Sol entra en el signo astrológico de Aries, el carnero. Este sabbat de primavera lleva el nombre de la diosa escandinava de la primavera, Eostre. Algunas de las asociaciones de esta diosa son las flores de primavera, los huevos coloreados (ya que simbolizan la vida) y la liebre, en tanto que representa la fertilidad. Bueno, ¡hola, conejo de Pascua! ¡Sorpresa! ¡Resulta que es la liebre de la fertilidad de Eostre!

Es el momento perfecto del año para trabajar en un hechizo que significa tu disposición a comenzar de nuevo. En Imbolc, trabajaste curándote de las antiguas heridas y el bagaje emocional; ahora, en el equinoccio de primavera, abrazas nuevos comienzos y creas magia para estar lista para el nuevo amor y las nuevas relaciones.

Hechizo para comenzar de nuevo

Materiales:

- Una vela rosa en frasco de siete días (para representar el amor a una misma)
- Encendedor o cerillos
- Una piedra de cuarzo rosa limada (para abrir tu corazón)
- Una pizca de canela en polvo (para la energía, la pasión y la felicidad)
- Una pizca de jengibre (para la confianza y el éxito)
- Una pequeña bolsa de regalo de organza rosa o 4 pulgadas cuadradas de tela rosa y listones rosas (para atar la bolsa/saquito de encantamientos)
- Una tela limpia (para limpiarte las manos)
- Tu altar de amor o una superficie plana y segura.

Instrucciones:

Para comenzar, coloca la vela de frasco en el centro del arreglo de tu altar. Toma tus hierbas, el cuarzo rosa y la bolsa o tela y el listón de modo que los tengas cerca y a mano. Tómate unos momentos y respira profundamente algunas veces. Calma tus pensamientos y céntrate. Arma la bolsa/saquito de encantamientos. Pon una pizca de canela en la bolsa de encantamientos, coloca el cuarzo y el jengibre. Amarra la bolsa para cerrarla. Haz tres nudos y conforme los haces, di:

Un nudo para la Doncella, la Madre y la Vieja.
Empoderan esta bolsa de hechizos, las hierbas y la piedra.

Ahora límpiate las hierbas de las manos. Enciende la vela de frasco y repite el verso del hechizo:

> *El pasado está tras de mí, el futuro adelante,*
> *nuevas relaciones y amor podrán venir a mi puerta.*
> *Una vela rosa para el amor a una misma, canela*
> * para la felicidad.*
> *El cuarzo rosa abrirá mi corazón, mientras que el jengibre*
> * me otorga confianza.*
> *La piedra y las hierbas son ahora parte de este saquito,*
> *¡Que surja un nuevo amor, de la mejor manera posible!*

Lleva contigo la bolsa de encantamientos en esta primavera. Deja que la vela arda en un lugar seguro hasta que se consuma sola. Tomará de cinco a siete días si arde continuamente. Cuando enciendo velas de frasco, las pongo dentro de un gran caldero de acero. De esa manera, si se golpeara la vela, permanecería dentro de un área a prueba de fuego. Otras brujas inteligentes que conozco colocan la vela encendida en el fondo de su tina de baño, dentro de una chimenea vacía o incluso en medio del fregadero de la cocina. Asegúrate totalmente de que la vela está bien apartada de los materiales inflamables. ¡La seguridad es primero!

He aquí un práctico tip para velas: Las velas de frasco de siete días son maravillosas herramientas, pero algunas personas no pueden dejar una vela encendida de modo seguro cuando salen de casa. No te preocupes, prueba este truco: si dejar la vela encendida no es tu opción, entonces apágala cuando sales y vuélvela a encender siempre que estés en casa. Puedes decir, cada vez que vuelves a encenderla:

> *Vela de siete días, arde, emite tu luz mágica.*
> *Cuando estoy en casa y puedo velar contigo en la noche.*

¡Que la estación de la primavera te traiga nuevas relaciones amorosas, crecimiento personal positivo y nuevos comienzos!

Día de Mayo/Beltane

> *¡Tra-la! ¡Estamos en mayo!*
> *¡El vigoroso mes de mayo!*
> *Ese mes tan querido en que todos se deshacen*
> *del autocontrol.*
> Lerner y Loewe, *Camelot*

Beltane señala el punto medio entre primavera y verano. Es una noche en que el velo entre nuestro mundo y el mundo de las hadas es muy delgado. Si te estás sintiendo con ganas de aventura, siempre puedes pedir a las hadas que te presten un poco de suerte en el amor. Sólo haz tu petición amablemente y déjales una señal de tu afecto y ellas responderán. De acuerdo con la tradición mágica, una pequeña punta de cristal, un simple pastelito (una galleta) o una flor perfecta son una ofrenda aceptable. Coloca la ofrenda en un lugar privado de la naturaleza y déjalo para que las hadas lo usen como les parezca adecuado.

Para una celebración del día de Beltane, puedes incorporar fácilmente cualesquiera flores rojas, blancas o rosas que crezcan en el jardín. La rosa fragante es una flor muy importante para incorporar a tu magia de Beltane. Prueba a esparcir los pétalos de la rosa en un anillo alrededor de tu área de trabajo. Si haces magia con regularidad, trata de esparcir los pétalos alrededor del límite de los círculos que has trazado. El rosa, como lo hemos descubierto, se usa tradicionalmente en los encantamientos para fomentar el amor. Pero he aquí un tip de bruja: los pétalos de rosa se pueden usar para acelerar tus creaciones mágicas, así que incorpóralos a los hechizos y encantamientos para obtener energía mágica suplementaria (básicamente les dan un empujón).

Para tus hechizos de Beltane, prueba las rosas blancas para honrar a la Dama y su símbolo natural, la luna siempre cambiante. Las rosas rosadas son para la diversión y la alegría de estar en una relación romántica y promoverán la amistad y el afecto suave. Las rosas rojas obran un hechizo sensual para la noche de Beltane, para animar al amor, el romance y la atracción, y para aumentar la pasión.

Hechizo de pétalos apasionados

Ejecuta el siguiente hechizo afuera. Para comenzarlo, esparce unos cuantos pétalos de rosa o de otra flor alrededor de ti en un círculo. Necesitarás pétalos blancos, rosas y rojos. Repite los versos y guarda un manojo de pétalos para cerrar el hechizo.

> En esta noche de Beltane, bajo la luna de la Dama,
> le pido a la Diosa que me dé una bendición.
> Los pétalos de flor blanca para la Dama, y los pétalos rojos
> para el deseo,
> pétalos rosas por la alegría y la diversión que inspiran.
> Ahora aumenta el romance, mándame pasión amorosa.
> Cierro este hechizo con el poder de tres veces tres.

Una vez que se dice el hechizo, siéntate en el centro de los pétalos de flor y medita un poco. Presta atención y percibe si encuentras algo de actividad de hadas. Cuando hayas terminado, levántate y haz una reverencia a la Luna. Respira profundo y sopla los pétalos restantes de tus manos hacia la noche. Ofrece tu agradecimiento en tus propias palabras a la Dama y a los espíritus de la noche.

Solsticio de verano/Midsummer:
21 de junio

> *¡Vaya!, esta es la locura de verano.*
> Shakespeare, *Twelfth Night*

Ah, la estación del verano está sobre nosotros. El solsticio de verano, el primer día del verano, ocurre cuando el sol entra en el signo zodiacal de cáncer, el cangrejo. Una vez más, cada año el solsticio de verano caerá en diferentes días de junio en el calendario. ¡Así que revisa cuándo llegará este año y ponte a trabajar! El jardín está ahora en plena actividad, así que ¿por qué no aprovechar las flores y las plantas disponibles? Crea un poco de magia con los espíritus de la naturaleza y con las mareas de la Luna mientras celebramos la exuberante y fértil estación del verano.

Para el día del solsticio de verano, puedes probar a hacer magia feérica. Las hadas aman las flores fragantes, como las rosas y las hierbas florecientes. Y no olvides esos helechos en tu jardín de sombra! Los helechos son sagrados para el Hada. Añadir unas cuantas frondas de helecho a tu ramillete del solsticio de verano es una manera segura de honrar el poder del reino de las hadas y ganar su favor.

Tus rosas de jardín, margaritas, milenrama y lavanda deberían estar floreciendo ahora, así que trata de incorporar esos capullos juntos para tejer una pequeña fascinación floral para la suerte en el amor y la prosperidad para el año venidero.

Un bouquet de hadas para el romance

Haz un ramo con las flores que se sugieren o revisa el apéndice para que veas una lista de otras flores encantadoras que puedes incorporar. Usa tu imaginación, ve qué puedes invocar. Si no tienes un jardín, visita entonces al florista local y compra unos cuantos tallos de margaritas, un par de piezas de helecho y un capullo de rosa. Asegúrate de incorporar un capullo fresco de rosa en este bouquet de hadas, ya que el capullo de rosa representa el futuro o lo que será. Al colocarlo en el centro representarás tu deseo de romance en el futuro. (Por favor remítete al apéndice para una lista de colores de rosas y sus significados mágicos).

Ahora pasemos al resto de las flores recomendadas: la margarita te trae felicidad y es una expresión de inocencia. La lavanda es protectora y mantendrá apartada a la desgracia. La milenrama es la hierba mil-usos de las brujas y también se llama la "hierba de los siete años", ya que uno de los poderes de la milenrama es que se piensa que tiene la capacidad de mantener a una pareja felizmente unida durante siete años. Por favor toma en cuenta: si no tienes un jardín, por lo común puedes encontrar milenrama y lavanda secas en las tiendas de manualidades y decoración que funcionará muy bien en tu ramo, y la milenrama y la lavanda son plantas mágicas versátiles que es bueno tener a mano para futuros hechizos.

INSTRUCCIONES

Crea un hermoso y pequeño bouquet, o ramito, con las flores y plantas de verano que se sugieren. Termina el ramo añadiendo unas cuantas ramas de helecho. Mantén el ramo minúsculo y amárralo con cinta floral verde o asegúralo con bonitos listones rojos, rosas y blancos. Cuando tengas el ramito arreglado a tu gusto, toma el bouquet de hadas y ve a un lugar que esté en medio de la naturaleza. Repite el siguiente conjuro:

> *En esta hora del solsticio de verano, las hadas andan*
>   *por todos lados,*
> *en este antiguo día, se dice, se hallará magia de hadas.*
> *Este bouquet envuelto en helechos te ofrezco*
>   *como dádiva,*
> *cumple mi petición de romance y amor mientras*
>   *digo este hechizo.*

Asegúrate de dejar el ramito afuera, como regalo para las hadas. Deja que la naturaleza lo recoja.¡Mis mejores deseos para un verano de lo más mágico!

Primera cosecha/Lammas:
Primero de agosto

> *Ir entre los aster*
>   *y respirar*
> *la dulzura que se cierne*
> *en agosto, sobre el alto algodoncillo.*
>   Denise Levertov

Lammas celebra la primera cosecha y el punto medio entre el verano y el otoño. Es una época de abundancia y prosperidad. Ahora es cuando se recogen las moras y, asimismo, son las primeras cosechas de granos. La hierba veraniega del jardín está creciendo con fuerza, y durante estos días que son los más calurosos del año, las cosas empiezan a disminuir un poco de ritmo.

En este día mágico del año, prueba a trabajar con el alegre girasol. Esta práctica flor del campo posee los aspectos planetarios del Sol, como es de esperarse. En el lenguaje de las flores, simboliza éxito, fama y riqueza. Los girasoles son fáciles de cultivar en el jardín casero y también son flores cortadas muy populares. Si no tienes ninguna en casa, checa con el florista local. El majestuoso girasol siempre llama tu atención y sobresale entre la multitud. ¡Trabaja con sus energías mágicas y también tú destacarás este verano!

HECHIZO DE GIRASOL

Para un hechizo poco complicado que celebra la primera cosecha y la generosidad del amor, prueba este hechizo del girasol. La lista de materiales y las instrucciones para este hechizo de amor son simples:

MATERIALES

- 2 velas doradas (que representan la riqueza del amor y el triunfo)
- 2 candeleros
- Encendedor o cerillos
- Girasoles frescos (en el lenguaje de las flores, éxito y fama), ya sea sueltos o en florero
- Tu altar de amor o una superficie plana y lisa

INSTRUCCIONES

Arregla esos altos y majestuosos tallos de girasol en un florero pesado o un ramo. Si prefieres, coloca acostados unos cuantos tallos de girasoles a lo ancho del área. Sólo hazlo lo más atractivo que puedas.

Trabaja este hechizo cuando el brillante Sol de agosto ilumine el cielo. Enciende las velas doradas y voltéate de frente al Sol. Cierra los ojos y levanta tu rostro hacia la cálida luz del Sol que cae sobre ti. Anuncia fuerte, en tus propias palabras, tus metas para una vida abundante y exitosa y un amor satisfactorio. Después repite tres veces:

> *En este día de Lammas, el Sol brilla tan cálido*
> *y resplandeciente,*
> *haré magia para traer a la luz mis sueños y esperanzas.*
> *Como un girasol dorado, le doy la cara al sol,*
> *dame éxito, abundancia, y un amor sincero y divertido.*
> *He tejido este hechizo amoroso de Sabbat con girasoles*
> *con mis palabras, fluye la magia y comienza*
> *verdaderamente el cambio.*

Deja que ardan las velas en un lugar seguro hasta que se consuman solas. Deja que los girasoles se sequen. Separa los pétalos para utilizarlos en otros hechizos y encantamientos que invoquen éxito y abundancia. Deja afuera las cabezas con semillas para que los pájaros las coman como un bocadillo.

181

Equinoccio de otoño/Mabon: 21 de septiembre

> *Hay una armonía*
> *en el otoño, y un lustre en su cielo...*
> Percy Bysshe Shelley

En el equinoccio otoñal, de nuevo tenemos un día con igual cantidad de horas de día y de noche. Al igual que el equinoccio de primavera, la fiesta de este otoño es también un tiempo de equilibrio. El equinoccio de otoño comienza cuando el sol rueda hacia el signo astrológico de Libra, cuya balanza es un símbolo apropiado para este colorido momento de año.

Esta fiesta es una celebración de la recolección de las últimas cosechas de frutos y granos. A menudo se le llama el Día de gracias de las Brujas y ciertamente es una época para apreciar las bendiciones en tu vida, ya que nos estamos regocijando en los frutos y la generosidad de la tierra.

La manzana juega un papel importante en este festival de septiembre. Después de todo, es temporada de manzanas. La manzana es un símbolo natural de la sabiduría y la magia del amor; ha sido asociada con muchos dioses y diosas del amor. Y, estoy segura de que muchos de ustedes lo saben, si rebanas una manzana de forma horizontal, descubrirás adentro la estrella de la sabiduría.

Las manzanas eran incorporadas a menudo a la adivinación amorosa. Si deseabas descubrir el nombre de tu verdadero amor, entonces tenías que pelar una manzana formando con la cáscara una cadena que no se rompiera. Una vez pelada la manzana, lanza la cáscara por encima de tu hombro a una olla de agua previamente colocada. La piel se extiende en el agua adquiriendo la forma de la primera letra del primer nombre de tu verdadero amor.

TRADICIONES DE AMOR CON MANZANAS

De acuerdo con las leyendas de las viejas sabias, la cantidad de semillas que se encuentran adentro de la manzana pueden decirte tu suerte en el amor. Esto requiere que comas la manzana y después cortes el corazón con cuidado para contar las semillas. Una vez que las hayas contado, aquí está la vieja rima de las semillas de manzana. ¡Revísala y veamos cómo te fue!

Uno, amo; dos, yo amo;
tres, yo amo, lo digo;
cuatro, yo amo con todo mi corazón;
cuatro, yo lo extiendo.
seis, él ama; siete, ella ama;
ocho, los dos están de acuerdo;
nueve, él viene; diez, se demora;
once, corteja; doce, se casa.

Conforme gira la rueda del año, las estaciones cambian lentamente mientras celebramos las festividades mágicas. No importa qué época del año sea, siempre hay una razón para el regocijo y la felicidad. Hay mucho que aprender siguiendo y celebrando los ciclos y las estaciones cambiantes del año mágico. Estos festejos tienen muchos niveles a explorar, culturalmente y espiritualmente. Pon atención a los ritmos naturales del año y encontrarás que tu magia es de más fácil acceso y realización —ya que cuando trabajas en armonía con los ciclos de la naturaleza, el cambio amoroso y positivo es completamente posible.

Capítulo 8
El lado oscuro del amor

Si esto es amor, vestirme de pensamientos oscuros,
frecuentando caminos nunca pisados para lamentarme aparte;
mis placeres horror, música, notas trágicas
lágrimas en mis ojos y pena en mi corazón.

Samuel Daniel

Confesaré que cuando comencé este libro, pensé que sería muy divertido escribirlo, y ciertamente lo ha sido. Pero en alguna parte del camino, dejé de pensar únicamente alrededor de un retozo en sábanas de satín, velas y diversión mágica, con una buena medida de poder femenino añadido.

Sabía que habría mucha más profundidad en el tema cuando comencé a escribir sobre la ética de nuestro Arte de buenas a primeras en el primer capítulo. La diosa guiaba mi mano incluso en ese momento, creo. Para mí misma, el *empoderamiento* femenino se fue convirtiendo en un concepto cada vez más importante de enfatizar conforme el libro comenzaba a cobrar vida. Sí, los capítulos sobre flirteo y seducción eran divertidos. ¡Así debían ser! Así que sonreí, reí y seguí escribiendo. Después algo interesante ocurrió.

Conforme me involucré más profundamente en el tema, me di cuenta de que había mucho terreno que abarcar aquí. La magia y el *empoderamiento* de las mujeres pueden ocurrir y ocurren cada día y en cualquier momento del año. Sin embargo, algunos de los temas relativos a la magia del amor son más oscuros y pesados que otros.

Así que, con esto en mente, creo que ha llegado el momento de hablar del lado más oscuro del amor y las emociones. Como hechicera, sé que con la luz llega la oscuridad y que no se debe temer a la oscuridad. Es simplemente parte de la dualidad de la naturaleza y de la experiencia humana. Honestamente, el amor no es sólo corazones de confeti lanzados al aire, bailar en la lluvia y serenatas lloronas de violín. A veces es estresante, áspero e hiriente. Cuando dejamos ir una relación que no funciona, cuando una de éstas llega a un final abrupto, o cuando lidiamos con nuestras emociones más oscuras, es un proceso doloroso.

No siempre es un proceso negativo. El crecimiento requiere de cambio. No todo cambio es suave; puede ser caótico y desordenado. Lo que es importante recordar es que traer algo nuevo al mundo requiere de los inevitables dolores de parto y nacimiento.

Las brujas y otros usuarios mágicos tienden a ser muy sensitivos o empáticos, si prefieres esa palabra. Esta sensibilidad y susceptibilidad a las emociones en general y a los estados de ánimo emocionales de la gente, así como a sus sentimientos, se puede convertir en un arma de doble filo si las brujas no tienen cuidado.

Así que considera que tus pensamientos y emociones son los verdaderos generadores de energía mágica, ya que ellos básicamente impulsan tu hechicería. Deberás dejar de lado, con firmeza, las emociones negativas, el odio y los celos, puesto que éstos no tienen lugar cuando realizas algún tipo de magia. Tienes derecho a expresar tus sentimientos y a veces un buen llanto o un desahogo te ayudarán más que ninguna otra cosa a sentirte mejor. Sin embargo, querrás sacar todo eso de tu sistema antes de que comiences a realizar la magia de este capítulo (o de cualquier otro, para el caso).

Pon tu *cara de póker* y tranquilízate, céntrate antes de que comiences a lanzar hechizos. Piensa en la manera en que tus acciones mágicas afectarán a tu mundo. Realizar magia cuando estás emocionalmente afligida nunca es buena idea. La magia crea cambios. También sigue el camino de la menor resistencia. Así que debes estar súper segura de que enviarás el cambio positivo para ti y para todos los demás. De manera realista, ese cambio positivo puede estar en la línea de "te deseo bien y deseo que estés muy, muy lejos".

Siempre insisto en todos mis libros en que la verdadera magia viene del corazón. Ten a mano tu sentido común y considera bien cosas. Siempre recuerda que cuando realizas magia compasiva, desde el corazón, mientras mantienes bajo control tus emociones más oscuras: la ira o los celos, tienes una combinación ganadora.

ENCANTAMIENTOS, FASCINACIONES, HECHIZOS Y RITUALES:
LAS SUTILES DIFERENCIAS

> *Los hechizos son un medio para situarse y negociar,*
> *la misma persuasión amistosa que se encuentra*
> *en el suave arte de la seducción,*
> *pero en el nivel psíquico.*
>
> LAURIE CABOT, *LOVE MAGIC*

En este capítulo, la magia está más extensamente involucrada. Algunos de estos hechizos pasan a convertirse en rituales más comprometidos. Así que ¿cuál es la diferencia entre un encantamiento, fascinación, hechizo y ritual?, podrías preguntar. La respuesta radica en la cantidad de tiempo que te toma llevarlo a cabo, la cantidad de componentes requeridos y finalmente el nivel de sabiduría que toma el realizar ese acto de magia particular.

Un simple encantamiento es la visualización o un verso rápidamente dicho, tal vez con un objeto o dos, como un cristal o una hierba, para dar poder, en gran medida como las instrucciones para bolsas de encantamientos que se encuentran en los primeros capítulos. Una fascinación requiere poder personal, concentración y, en el caso de una fascinación floral, la adición clave de una flor mágica.

Un encantamiento o hechizo (esta palabra siempre se usa de manera intercambiable) tomará un poco más de tiempo, requiriendo más concentración y más poder personal. El uso del ritmo astrológico queda incorporado, como la fase de la Luna y/o el día de la semana. Asimismo, el hechizo o encantamiento probablemente incluirá el encender una vela, trabajar con los cuatro elementos naturales o solicitar la ayuda de una deidad. También se pueden emplear técnicas de visualización. El hechizo o encantamiento tiene pasos definidos, procedimientos y diversos materiales —típicamente se utilizan cristales, hierbas y velas de colores o aromas específicos.

Finalmente, un ritual tiene todos los componentes enlistados atrás y típicamente tiene muchos pasos y bastantes materiales. Es más formal y puede tomar horas, incluso días para llevarse a cabo. Ahora, antes de que empieces a brincar, preparada para decirme que a veces los hechizos, encantamientos, fascinaciones y rituales comparten todos los mismos componentes y técnicas, estaré de acuerdo contigo.

Sí, tienes absolutamente toda la razón. El resultado aquí, muchachas, es este: la cantidad de los componentes requeridos, la cantidad de energía personal que gastamos, la cantidad real de tiempo que te toma llevar a cabo una tarea y finalmente el nivel de seriedad requerido definirán la diferencia. Hay una razón por la que estos rituales y hechizos más serios se encuentren al final del libro.

Si pusiste atención, habrás notado que comenzamos con técnicas simples y temas más ligeros como calentamiento. Conforme avanzábamos a las secciones de la mitad del libro, tenías la oportunidad de flexionar tus músculos mágicos y crecer, reír y aprender con cariño. Ah, ¿ves? Hay un método en mi locura.

Recuerda acudir a tu intuición y escuchar tu propia voz interna cuando realices tus encantamientos, hechizos y rituales. La magia en este libro traerá un verdadero cambio en tu vida, y esa transformación puede sorprenderte. Pon atención a esa brújula moral personal y sigue tu propia ética. Eso te servirá muy bien. Esas cualidades compasivas serán para ti la clave de cómo proceder mejor. Así que detente, céntrate, escucha y reflexiona cuidadosamente en todas tus opciones. Considera todo lo que has aprendido de nuestro Arte hasta este momento.

Ahora, ¡a trabajar!

189

UN HECHIZO PARA PROTEGER A TU HOMBRE

Dices que te lo vas a llevar
pero no creo que puedas
porque no eres lo bastante mujer
para llevarte a mi hombre...
LORETTA LYNN, *YOU AIN'T WOMAN ENOUGH*

Ah, las historias que te podría contar... Hay un tema muy popular, y a menudo mujeres frenéticas, de ojos llorosos me hacen las preguntas más salvajes, ellas no practican la magia sino que se abalanzan sobre mí porque soy Bruja. Están absolutamente convencidas de que una golfa le hizo un hechizo malvado a su hombre. La historia es de que el hombre no pudo aguantarse de engañar a su esposa. Todo era un "hechizo de amor malvado" —de ninguna manera su culpa. Él sólo era un esclavo de amor del tipo sin cerebro —un verdadero zombie—, una víctima, si quieren. ¡Cómo, esos pobres corderitos! (Sí, eso fue sarcasmo.)

En realidad, ese tipo de hechizo es muy, muy, raro. ¿Es posible? Supongamos que sí, pero el costo para quien lo lanza sería increíble, ya que no serían capaces de mantener esa profundidad de manipulación emocional durante ningún periodo de tiempo. Con toda probabilidad, más bien es una excusa que inventó el marido cuando lo descubrieron en el engaño. Triste, pero cierto. Así que no vayas a caer en él.

El siguiente hechizo es para aquellas veces en que sabes que hay otra mujer husmeando cerca de tu hombre, lo cual es duro porque típicamente tu hombre no tiene ni la menor idea. (Tradicionalmente, los hombres no ponen atención a este tipo de cosas. Por lo general se requieren medidas ofensivas antes de que se den cuenta.)

Desafortunadamente, mientras más agresivamente actúes hacia la otra mujer, incluso si merece este comportamiento, más parecerás una perra a ojos de tu esposo/compañero. O si te vuelves sobreprotectora con tu hombre, entonces puedes parecer insegura o celosa —especialmente si él no se está dando cuenta del problema potencial.

Lo que sigue no es un hechizo diseñado para arreglar tus inseguridades. Este es un hechizo para proteger a un buen hombre y a tu relación amorosa. Este tipo de magia de cocina emplea el poder del hielo y a veces se refieren a él como "magia de congelador". Ayuda a que las situaciones volátiles se enfríen de manera que todo mundo se calma (especialmente tú). Esto también te ayudará a ganar un poco de tiempo y hacer que la alborotadora se sienta un poco culpable de sus acciones y calme su persecución.

El hechizo de hielo, espinas y hierbas

MATERIALES

- Un trozo de papel con el nombre y el apellido de la alborotadora (si puedes conseguir su firma, es incluso mejor)
- Una rosa roja oscura con las hojas y las espinas en el tallo
- Un par de tijeras de cocina
- Un pequeño envase de plástico para comida con tapa (para el refrigerador)
- Una pizca de sal (para sacar toda negatividad)
- Una pizca de polvo de ajo (para neutralizar el nefando chismorreo)
- Una taza o dos de agua
- Tu refrigerador

INSTRUCCIONES:

Realiza este hechizo en cualquier momento. Para empezar, corta la rosa limpiamente para separarla de su tallo. Pon la flor a un lado. Después, envuelve cuidadosamente el tallo con el nombre de la alborotadora. Deja que una espina corte el papel. Ahora toma el tallo con hojas y espinas y con cuidado dóblalo a la mitad para que quepa en el envase. Añade agua suficiente para cubrirlo. Después esparce una pizca de sal para quitar toda la negatividad y una pizca de ajo en polvo para neutralizar los chismes. Sella el envase y colócalo en tu área de trabajo. Repite tres veces los versos del hechizo:

> *¡Congélate! Tu afecto se enfriará ahora*
> *pues este es mi hombre y lo tengo y apoyo*
> *espinas de rosas para que te remuerda la conciencia*
> > *y te haga partir*
> *no causarás más disputa entre mi amante y yo*
> *bien sellada con hierbas y una rima,*
> *¡Esta magia de congelador sale bien!*

Pon el recipiente en el congelador y cierra la puerta de manera elegante. Di estas líneas para cerrar el hechizo:

> *Para el bien de todos, sin daño a nadie*
> *por el hielo, las espinas y las hierbas, este hechizo*
> > *ha terminado.*

Deja que se vuelva hielo sólido. Déjalo en el congelador hasta que la situación se resuelva. No te inquietes más por la situación. Finalmente, toma la rosa que dejaste aparte, separa los pétalos y espárcelos entre las sábanas de la cama. Busca a tu hombre e invítalo a la recámara para una celebración física de tu amor.

Hombres:

NO PODEMOS VIVIR CON ELLOS,

NO PODEMOS CONVERTIRLOS EN LAGARTOS

Adoro estar casada.
Es tan bueno encontrar a la persona especial
a la que quieres fastidiar por el resto de tu vida.

Rita Rudner

Toda relación pasa por épocas difíciles. Tal vez son las dificultades financieras, una enfermedad, el discutir por las tareas diarias, problemas con los niños o la familia. Tal vez los dos defienden posiciones opuestas sobre un tema, los dos se encuentran enojados y nada se resuelve. Entonces, ¿qué opciones tienen? Bueno, el sentido común nos dice que ambos necesitan hablarlo. Esto es, hablar, no gritar. Traten de llegar a un acuerdo o de establecer que no están de acuerdo. Enfóquense en lo que aman uno del otro. Por supuesto, siempre habrá cositas de tu hombre que te pondrán furiosa y viceversa. Después de veinticinco años de matrimonio, no les voy a decir que mi matrimonio ha sido un cuento de hadas. Claro que no. Tenemos buenos y malos días, como cualquier pareja.

Por ejemplo, no puedo llevar a mi esposo a una tienda de mejoras para el hogar. En el minuto en que le doy la espalda, desaparece. Es como magia. ¡Puf, y se fue! Así que, a menos de que quiera yo agarrarle la mano todo el tiempo para tenerlo cerca de mí (no muy distinto de un niño pequeño), puedo contar con que en cada visita voy a pasar por lo menos quince minutos localizando a mi hombre. Eventualmente, me pone como loca que cuando lo encuentro se me queda mirando y me pregunta, "¿A dónde fuiste?"

Para cuando lo encuentro —¿y qué cosa estaba haciendo?, mirando puertas de entrada, por cierto. Y a mí los paneles

193

de vidrio con emplomados no me importan. Vinimos a ver luces para baño, ¿no?— soy una mujer agraviada y furiosa.

Quiero decir, ¡Dios mío!, ¿tan difícil es avisarle a tu mujer si decides ponerte a pasear y a mirar otra cosa? Sólo un hombre puede perder media hora mirando un pedazo de madera. Quiero decir, ¡caramba! Consíguete una tabla plana de triplay o un dos por cuatro y ¡vamos ya! De hecho tengo como meta visitar una tienda de mejoras en el hogar y salir de ella sin tener una pelea con mi galán. Eso se ha convertido en mi Nirvana.

Este tipo de agravios insignificantes y peleas tontas son sólo parte de vivir con otra persona. Se molestarán uno a otro, así que lidien con eso. Sé que si le preguntan a mi marido, les dirá que vivir conmigo es una monserga cuando la escritura me da problemas. Nadie es perfecto y todos tenemos nuestras pequeñas particularidades. Honestamente, el matrimonio (o cualquier relación de largo plazo) es un trabajo que requiere abordarse día por día. Habrá buenas épocas y tiempos difíciles. Cómo lidias con ellos define quién eres, como individuo o como pareja.

194

Así que, para esos días en que se ponen de los nervios uno al otro y ambos necesitan endulzar su disposición, prueben este hechizo en tono de burla para los malos días.

UN HECHIZO DULCE PARA UN MAL DÍA

MATERIALES

ｂ Una pequeña vela rosa con aroma de rosas (aroma de rosas para el amor y el color rosa para estimular las emociones suaves)
ｂ Un candelero

- Unas gotas de miel (para endulzar la situación)
- Cerillos o encendedor
- Tu altar de amor
- Una foto de los dos

INSTRUCCIONES

Realiza este hechizo conforme se necesite. Si puedes programarlo para el viernes o alcanzar la luna menguante, fantástico. Si no, bueno, tu intención de crear un cambio es la mejor herramienta mágica que posees. Si necesitas echar a andar el hechizo ahora mismo, entonces, ¡por Dios, hazlo ya!

Para realizar este hechizo, frota unas gotas de miel en los lados y la parte de arriba de la vela rosa. Técnicamente, esto se llama "vestir" la vela. Una vez hecho, coloca la vela en el candelero. Lávate las manos si es necesario. Coloca la foto frente a la vela en el candelero. Con tu ojo mental observa la tonta pelea y concéntrate en el agravio o el enojo que sientes por su culpa.

Ahora, piensa bien, ¿qué tan importante es esa pelea? ¿Vale la pena seguir la batalla por su causa? Una vez que has pensado en eso y empiezas a tranquilizarte, visualiza cómo el problema y cualquier negatividad que se construyó se desvanecen lentamente. Cuando te sientas más tranquila, enciende la vela rosa y repite tres veces:

> *Con este hechizo mágico, mientras las rosas*
> *perfuman el aire*
> *dejemos que se resuelva nuestra disputa de manera justa*
> *eres un tipo gruñón, yo soy una bruja malhumorada*
> *de lo amargo a lo dulce, nuestras actitudes cambiarán.*
> *Mientras arde la vela, nos uniremos*
> *ahora reconciliémonos y despidamos nuestros problemas*
> *con un beso.*

Cierra el hechizo con estas líneas:

Por el aroma y la miel, este hechizo ha terminado.
Para el bien de todos, sin daño a nadie.

Deja que la vela arda en un lugar seguro hasta que se consuma. Ahora busca a tu hombre y conténtate. O, si él ofrece disculpas, acéptalas gentilmente. Bésense y reconcíliense. (Pueden darse el gusto de sexo de reconciliación).

CÓMO DESENCANTAR A UN HOMBRE:
ROMPIENDO UN HECHIZO QUE SE ESTROPEÓ

Oh, oh, Rhett. Por primera vez me doy cuenta
de lo que es arrepentirse por algo que he hecho.
SCARLETT O'HARA, *GONE WITH THE WIND*

Oh, no, dime que no lo hiciste. No seguiste y lanzaste un hechizo de amor a un blanco específico, ¿o sí? ¿O seguiste y lanzaste un hechizo mientras estabas angustiada? Así que ahora, en lugar de un esclavo de amor que te adora tienes en tu vida un hombre obsesivo o violento del tipo acosador. O tal vez has disfrutado de la peor racha de suerte imaginable desde que lanzaste ese hechizo.

Hmmm.... Me huele a karma.

Bueno, amiga, ahora ya está hecho y ahora te toca deshacerlo. Y aquellas de ustedes que brincaron a esta parte del libro primero, agárrense: van a recibir un regaño. Las que están sólo leyendo alegremente, siéntense y presten atención: esta información es bueno que la tengan.

¿Por qué les advertí contra esta clase de cosas al principio del libro? Porque los hechizos de amor manipulador o los clásicos hechizos del tipo "me pondré a mano contigo" literalmente abren las compuertas a los problemas. Todo lo que pueden hacer es huir de allí y gatear para llegar a un terreno más alto. El hechizo tendrá que correr su curso y eso tomará unas cuantas semanas. Sin embargo, ahora que están colgando de una roca saliente, preguntándose si han subido lo suficiente para quedar fuera del alcance del daño, les sugiero que piensen y recuerden exactamente qué hicieron para comenzar todo este lío. Si quieren voltear el sentido de la corriente, necesitan ser proactivas y hacer algo que regrese la energía manipuladora y negativa que desató su hechizo. No pueden sólo sentarse y rezarle a la Diosa cuán arrepentidas se sienten y esperar que pase. No, señoras. Necesitan entrar ahí y comenzar a trabajar para hacer enmiendas y reparar el daño.

De verdad, la magia afirmativa requiere de autocontrol, amabilidad y compasión. Así que, ya que aprendiste una lección más bien dolorosa, más te vale excavar profundo y aplicar esa consideración a tu vida diaria de hoy en adelante. Apuesto que lo pensarás dos veces ahora antes de lanzar cualquier hechizo en el límite y apuesto a que te asegurarás de que verdaderamente estás trabajando por el bien de todos.

Cuando necesitas trabajar para revertir las energías que ha causado un hechizo anterior, a esto se refiere técnicamente como inversión o desenvolvimiento. Un desenvolvimiento se centra en quitar los efectos de una maldición o de cualquier hechizo manipulador o maligno. Y así es como lo haces cruzar.

Un ritual de desenvolvimiento

Así que si mostraste poco juicio y ahora tienes un problema en tus manos, es tiempo de admitir tu error. Responsabilizarte de tus acciones y admitir la lección que aprendiste es un primer paso positivo en la dirección correcta. Lee este hechizo antes de realizarlo. Hay mucho que hacer, y es complicado. Tómate tu tiempo y estúdialo, para que el ritual de desenvolvimiento vaya sin problemas.

MATERIALES

- Una hoja de papel y pluma negra
- Corrector líquido que seque rápido o pintura blanca y una brochita
- 30 centímetros de listón blanco
- Una vela gris (para neutralizar los efectos del hechizo original)
- Una candelabro (para la vela gris)
- Una vela negra en punta (tiene que ser en punta, pues estarás rompiéndola a la mitad durante el ritual)
- Una hierba/planta que desenvuelva, como flores secas de hortensia, manzanilla seca o pequeñas ramitas de un olmo (trabaja con las plantas que puedas conseguir fácilmente).
- Una taza de sal
- Una bolsa de congelador resellable
- Encendedor o cerillos

ÉPOCA

La mejor época para realizar este desenvolvimiento sería durante la fase de luna menguante: conforme la luna mengua, así harán los problemas. Sin embargo, si no te puedes dar el lujo de esperar unas semanas a la fase lunar correcta, entonces te recomiendo trabajar en un sábado, ya que los sábados son días perfectos para desvanecer problemas.

INSTRUCCIONES

Dispón este ritual de desenvolvimiento dondequiera que realizaste el hechizo original que causó tantos problemas. Mira bien el hechizo original que realizaste. ¿Puedes ver dónde comenzaron tus problemas? ¿Te dirigiste a alguien específicamente? ¿Estaban involucradas emociones negativas o fue el hechizo original un hechizo manipulador? ¿Lo cambiaste o pusiste otras palabras? ¿Qué hiciste exactamente? Piénsalo y date cuenta en qué te equivocaste.

Para comenzar el ritual, enciende la vela gris y pídele a la Diosa que te ayude en tus propias palabras. Con la pluma negra, escribe el hechizo original que llevaste a cabo en un pedazo de papel y ponlo aparte. Después, toma el fluido corrector o la pintura blanca y dibuja una gran X blanca sobre el centro del hechizo original. Mientras lo haces di fuerte:

> *Neutralizo todo daño que haya causado*
> *tal como lo deseo así debe ser*

Pon a un lado el corrector o la pintura. Deja unos momentos que el papel se seque. Ahora enrolla cuidadosamente el hechizo tachado en un rollo de papel apretado (que el hechizo quede en la parte de adentro del pergamino). Asegúralo con el listón blanco. Anúdalo tres veces y di:

> *Por el poder de tres veces tres,*
> *neutralizo toda negatividad*

Ahora coloca el hechizo enrollado en la bolsa para el congelador. Añade las hierbas de desenvolvimiento. Mientras echas la sal despacio arriba del rollo de papel, di estas líneas:

> *Que la sal y las hierbas creen ahora una marcha atrás*
> *y nos protejan de cualquier futura maldición*

Pon la bolsa a un lado, pero mantenla a tu alcance. Toma la vela negra en punta y enciéndela, utilizando la flama de la vela gris. Sostén con tus manos la vela negra y déjala que arda unos momentos. (La vela negra en punta representa el hechizo original). Ahora di las siguientes líneas:

> *Un amor conjurado es un falso amor, y ahora*
> *lo lanzo lejos*
> *la magia de amor que lancé sobre (nombre) queda*
> *neutralizada hoy.*
> *Una dura lección hemos aprendido, y ahora hago*
> *enmiendas,*
> *cualquier problema que mi hechizo haya causado*
> *termina ahora.*

Aprieta la vela negra y rómpela a la mitad. Asegúrate de que la mecha esté completamente extinguida, después colócala también en la bolsa para el congelador, aplana la bolsa y ciérrala. Visualiza a la otra persona libre, saludable y feliz. Deséale que le vaya bien y que salga de tu vida. Sé sincera. Cierra el ritual:

> *Desenvuelto estarás para siempre*
> *este ritual te ha dejado libre.*

Deja que la vela gris arda en un lugar seguro hasta que se consuma; asegúrate de vigilarla. Recoge la bolsa para el congelador y deséchala en un bote de basura público que esté muy lejos de donde vives y trabajas. Una vez que has desechado la bolsa, dale la espalda y aléjate. No mires hacia atrás. Pon todo esto atrás de ti y sigue tu camino hacia cosas mejores.

ROMPER Y CONTINUAR

Ahora te diré lo que he hecho por ti
Lloré 50,000 lágrimas
Llorando, siendo engañada y sangrando por ti
Y ni siquiera así me escucharás...
AMY LEE, DAVID HODGE Y BEN MOODY, *GOING UNDER*

A veces romper y continuar es lo mejor que puedes hacer. No es ni fácil ni agradable; sin embargo, si tu compañero te engaña, estás en una relación que no es saludable emocionalmente o es inestable o (la Diosa no lo permita) es de abuso. Déjame decirlo aquí mismo y ahora: si te encuentras en una relación de abuso físico, no necesitas una Bruja. Necesitas a la policía, un abogado y una terapia. Sal de ahí. Saca a tus niños, ve a un refugio, llama a la policía y reporta el abuso. Comienza a tomar los primeros pasos para recuperar una vida más saludable y libre de violencia.

Cuando una relación se separa, es duro, ni importa quién seas. A veces es un descanso y a veces te rompe el corazón. De cualquier manera va a ser un acontecimiento catártico. Una vez que la tormenta emocional haya pasado y comiences a retornar al ritmo de las cosas, sentirás la necesidad de poner atrás todo el bagaje emocional.

Comienza el proceso deshaciéndote de los recuerdos de la vieja relación. Si tienes joyas de la boda, tienes un par de opciones: puedes vender la joyería o llevarla a un joyero y pedir que la convierta en otra cosa. También recuerda tirar viejas postales y fotos y literalmente limpiar la casa. El siguiente ritual te ayudará cuando estés lista para pasar a lo que sigue.

El ritual elemental para seguir adelante

ÉPOCA

La mejor época para realizar este ritual es el día de la luna nueva. Es una época perfecta, ya que la luna es oscura pero poco a poco va aumentando hacia la luz. Representa la manera en que sales y sigues adelante. Como alternativa, podrías realizar este hechizo un sábado durante la puesta de sol. Si eliges ese momento, aprovecharás las energías que cierran el día y la semana. Este ritual tomará un poco de tiempo, así que lee las instrucciones antes de comenzar.

MATERIALES

- Una vela de té blanca
- Cerillos o encendedor
- Un pequeño cuenco de agua
- Una piedra turquesa (para curar)
- Una pluma caída
- Una foto de ustedes dos
- Un sobre blanco
- Un pedazo de listón blanco de 30 centímetros
- Una bolsita para regalo de organza o una cuadrada de cuatro pulgadas de tela verde y suficiente listón para atar la tela cerrada como una pequeña bolsa
- Una vara de incienso de sándalo (para limpiar)
- Un incensario
- Tu altar de amor o una superficie plana y segura

INSTRUCCIONES

Este hechizo emplea el poder de los cuatro elementos. Éstos quedan representados en el hechizo mediante la flama de la vela para el fuego, la pluma para el aire, la piedra limada de turquesa para la tierra y finalmente el cuenco de agua. Para comenzar este hechizo, toma un baño ritual. Esparce un poco de sal en el agua para sus propósitos limpiadores y vierte un poco de baño de burbujas con aroma y toma un agradable baño terapéutico en la bañera. Una vez que se enfríe el agua, sal de la bañera, sécate y ponte una bata limpia o ropa limpia. (Si no te gusta un baño de tina, entonces toma una ducha agradable y limpiadora. Enjabónate con tu jabón favorito o tu gel aromatizado para ducha y conforme el agua cae sobre ti, visualiza cómo se lleva todas las preocupaciones).

Cuando comiences el hechizo, arregla los componentes a tu gusto en tu área de trabajo. Para empezar, toma el cuenco de agua. Bendice el agua con esta frase:

Mediante mis palabras, esta agua está bendita
trae alegría, júbilo y éxito.

Coloca de nuevo el agua en tu superficie de trabajo. Ahora enciende la vela de té y di:

Por el elemento del fuego,
esta situación comienza a transformarse.

Concéntrate. Cálmate y piensa en cosas positivas y en tu futuro nuevo y más feliz. Repite los versos:

El lazo emocional entre nosotros está roto
disipando el dolor o la culpa mientras se dice el hechizo
el amor que había entre nosotros ahora se transformará
permitiendo que nazcan nuevas relaciones.

Ahora toma la foto de los dos y cuidadosamente rómpela en dos. No sólo la arranques a la mitad, separa las imágenes. Colócalas aparte en tu espacio de trabajo y di:

> *Una vez unidos como uno, ahora estamos separados,*
> *libertad para ambos mediante este Arte de Bruja.*

Toma la imagen de tu antiguo amante y amárrale la pluma con el listón blanco mientras dices:

> *Que el elemento del aire sople nuevas*
> *oportunidades para ti.*

O, según la situación, puedes decir en su lugar:

> *Que el elemento del aire te aleje de mí rápidamente.*

Coloca la foto y la pluma en el sobre. Ponlos a un lado. Ahora, pon tu imagen y la piedra turquesa juntas en la bolsa verde de hechizos. Mientras deslizas la piedra y tu foto en la bolsa, o amarras los extremos de la tela alrededor de ellas, di:

> *Que el elemento de la tierra me ayude a curarme*
> *y ser fuerte.*

Toma el agua bendita del cuenco, sumerge tus dedos en ella y pon una gota en tu pecho, sobre tu corazón. Visualiza cómo lava viejas heridas y penas. Ahora toma ese cuenco de agua y salpica un poco con las puntas de tus dedos en cada una de las esquinas de tu casa. Mientras lo haces, puedes decir:

> *Por el poder del agua, lavo toda la negatividad.*

La vela de té arderá aproximadamente cuatro horas. Cuando se consuma, desecha limpiamente el vaso de la vela y el sobre. Después, enciende el incienso de sándalo y recorre tu casa con el incienso humeante. Ve a todas las habitaciones y agita el humo suavemente por todas partes. Esta técnica de purificación por humo es una limpieza final de antiguos resentimientos o vibraciones amargas. Agita también un poco del humo aromático encima de ti. Una vez que se ha quemado el incienso, regresa a tu altar. Cierra el ritual con estas líneas:

Una vez unidos como uno, ahora estamos separados
libertad para ambos mediante este Arte de Bruja
por los cuatro elementos, este hechizo ha terminado
por el bien de todos y sin acarrear daño a nadie.

Unas pocas palabras brujeriles de sabiduría

Siempre pensé que estaba "atorada"
No lo estaba— estaba segura de mí misma
Esta es y siempre ha sido una cualidad
imperdonable de los inseguros.
Bette Davis

Espero que los hechizos y rituales de este capítulo te sean de ayuda. Recuerda que incluso la noche más oscura eventualmente abre paso a la aurora. Así que permanece firme y ábrete paso entre los problemas románticos que puedas encontrar. Usa las cualidades hechiceras que te son inherentes como mujer y elévate por encima de los problemas y los dramas con estilo, fuerza, humor y sabiduría. Siéntete segura de ti misma y de quien eres. Puedes hacerlo y hacerlo bien.

¡Yo creo en ti!

Epílogo
La brujería de una mujer

¿Quiénes eran las brujas, de dónde venían?
Tal vez tu tataratatarabuela era una,
las brujas eran sabias, sabias mujeres, dicen
y hoy hay una pequeña bruja en toda mujer.

BONNIE LOCKHART, *THE WITCH SONG*

207

Espero que hayas disfrutado tu viaje al mundo místico y mágico de los encantamientos. Las mujeres son, por su propia naturaleza, criaturas "hechiceras". Recuerda que los principales componentes de toda magia son un corazón abierto y amoroso y el deseo de crear un cambio positivo. De hecho tus intenciones y emociones son las que impulsan tu magia, así que un corazón tierno, tu intuición femenina, sentido del humor y compasión son todas herramientas importantes que debes tener al alcance.

Imagina que ha pasado un poco de tiempo desde que comenzaste a leer este libro por primera vez. En el camino, has experimentado y probado tu suerte en los hechizos y encantamientos y has experimentado la magia obrando en tu vida. Todo un mundo nuevo se abrió frente a tus ojos y ya seas una persona experimentada en nuestro Arte o una recién llegada, siempre es emocionante aprender algo nuevo y ampliar tus talentos.

Vivir es aprender y mientras recorremos nuestros caminos individuales tendremos muchas oportunidades de experimentar el amor y de ganar sabiduría. Hay una hechicera sabia y amorosa dentro de cada mujer. Déjala salir y obsérvala jugar. Ve lo que te enseña y qué cambios maravillosos y positivos se crean en tu vida.

Que tu camino se llene de alegría y pasión, luz, risa y amor… y por supuesto, magia.

Felices hechizos y bendita seas.

Ellen Dugan

APÉNICE
Popurrí apasionado

Y a pesar de toda esta ayuda de la cabeza y el cerebro
cuán felizmente instintivos seguimos siendo,
nuestra mejor guía hacia arriba, más allá de la luz,
preferencia apasionada como el amor a primera vista.

ROBERT FROST

Este apéndice abarca un poco de esto y de lo de más allá. Es una colorida mezcla de objetos mágicos coordinados, todos los cuales promueven el amor, como cristales, flores y hierbas. Estos trucos y tips serán de utilidad cuando diseñes tus propios hechizos. Hay información sobre dioses y diosas del amor en muchas culturas y tradiciones diferentes y una hoja de trabajo de hechizos para que hagas copias y trabajes con ella.

Toda la información correspondiente a este apéndice es para que experimentes con ella y la añadas a tus encantamientos amorosos, trata de añadir cristales, flores o hierbas complementarias para personalizar los hechizos y encantamientos que has encontrado en este libro. Echa un vistazo a la lista de deidades que se especializan en el amor y el romance. Trata de invocarlos y observa qué clase de diferencia experimentas en tu magia.

DISEÑANDO TU PROPIO ENCANTAMIENTO

Hay brujería en tus labios, Kate.
SHAKESPEARE, *ENRIQUE V*

Los siguientes objetos naturales sugeridos, símbolos y deidades son complementarios a la magia del amor y los encantamientos amorosos. Si ya estás versada en la magia, puedes tener tus propias correspondencias y preferencias, y claro que puedes ir con tus hierbas, piedras o flores preferidas. Sin embargo, si quisieras aprender algo nuevo, o si todo esto es nuevo para ti, entonces la lista de objetos correspondientes te será de utilidad cuando comiences a diseñar tus propios encantamientos.

En los siguientes índices, enlisto hierbas y flores fáciles de adquirir. Las flores deben ser cultivadas en tu propio jardín o compradas al florista del vecindario. Los cristales y las piedras son fáciles de localizar en una tienda de cosas naturales, una tienda metafísica o la tienda mágica local. Las piedras limadas son por lo general baratas y cuestan alrededor de un dólar. En mi altar casero tengo un bonito plato azul con forma de estrella lleno de diferentes piedras limadas. De esa manera, están a mano para cualquier encantamiento, hechizo o ritual que desee conjurar.

SIETE PIEDRAS PARA EL AMOR

Amamos porque es la única aventura verdadera.

NIKKI GIOVANNI

En el momento de escoger una piedra para realizar cualquier tipo de hechizo, sostén la piedra en tu mano receptiva (la mano opuesta a la que usas para escribir). Cierra tus ojos y apela a tus poderes intuitivos. Con tus ojos cerrados, reúne tus impresiones sobre la piedra. ¿Se siente tibia? ¿Te dio un ligero cosquilleo? Confía en tus propios instintos y selecciona tus piedras con cuidado. Toma tu tiempo para escoger y comprar unas cuantas buenas piedras con las cuales trabajar y disfruta el proceso.

Ágata: El ágata es una piedra curativa y fomenta el amor. Las ágatas vienen en muchos colores y variedades, percibe cuál sientes que es mejor para ti.

Ámbar: De hecho el ámbar es una resina. Esta "piedra" dorada atrae amor y prosperidad; refuerza cualquier magia. Es sagrada para la diosa Freya. El ámbar retiene una carga eléctrica, realza tu belleza interior y puede ser usada para fomentar la fertilidad.

Amatista: Una maravillosa piedra multiusos. Es una piedra calmante y tranquilizadora. Alivia el estrés y fomenta la espiritualidad. Agudiza las habilidades psíquicas y además es buena para el amor cuando está incrustada en la joyería que intercambian los amantes.

Cornalina: Esta piedra roja está concebida para prevenir la cólera y la envidia. Anula los malos sentimientos, el resentimiento y el odio, de modo que representa una buena adición a varios de los hechizos que aparecen en el capítulo 8. Esta piedra restaura la confianza en uno mismo y le da un estímulo a tu valor. También estimula la sexualidad y puede activar la libido.

Granate: Magnífica gema semi-preciosa de color vino, atrae energía, ayuda a fortalecer el cuerpo, y estimula tu poder personal. Cargar estas piedras aumentará tu seguridad, y atraerá romance y amor en tu vida. (Ver hechizo de la joyería de granate en el capítulo 6.)

Lapislázuli: Esta magnífica piedra de un azul intenso promueve la espiritualidad, la protección, las habilidades psíquicas, la fidelidad, y el amor. Está asociada con la diosa Isis. Se dice que el lapislázuli es una gran ayuda para conservar la fidelidad de un amante, y también puede ser usada para fortalecer un lazo amoroso entre una pareja sólida o casada.

Malaquita: Esta adorable piedra verde rayada es mi favorita. Posee muchos usos, incluyendo protección, prosperidad, paz y, por supuesto, amor. Sostener una malaquita en tu mano aumentará tu habilidad para atraer el amor a tu vida y ser más amorosa con los otros.

Perla: La perla está asociada con la Luna y la Diosa. Se trabaja en hechizos para el amor y la abundancia y es sagrada para muchas diosas, incluyendo Afrodita, Diana, Venus, y la diosa hindú Lakshmi. Según la mitología griega, la tradición de que las novias usen perlas empezó cuando el dios Krishna le dio unas a su hija para que las usara el día de su boda. Es interesante notar que las mujeres en India tradicionalmente usan perlas para asegurar con magia una boda feliz.

Piedra lunar: Una piedra femenina que fomenta la empatía, el amor, los viajes seguros, las habilidades psíquicas, y la magia lunar. La piedra lunar incrustada en plata es muy popular entre los adoradores de las Brujas y las Diosas para hacer collares rituales, anillos y aretes. Esta piedra es tradicionalmente sagrada para la diosa de la Luna. Si puedes usar o traer piedras lunares en tu persona, podrás atraer el amor a tu vida. También aumentarán tu sensibilidad hacia el humor de las otras personas, los sentimientos ocultos, y las emociones. Se dice que las piedras lunares, al ser intercambiadas por parejas que riñen, colaboran a acabar con la pelea, fomentan que el amor regrese, y ayudan a sanar relaciones con problemas.

Cuarzo rosa: Este cristal de un rosa dulce es la piedra suave y cálida por excelencia. El cuarzo rosa abre tu corazón y se usa para atraer el amor. Esta piedra también fomenta el amor hacia uno mismo. Intenta ensartar cuentas de cuarzo rosa en un brazalete para fomentar el amor y avivar sus energías en tu vida (ver al capítulo 6 para el hechizo de este brazalete). Esta piedra también fomenta la paz y la satisfacción, así como la fidelidad en los matrimonios y las relaciones a largo plazo.

Turmalina, rosa: La turmalina viene en varios colores, y esta tonalidad de piedra en particular atrae el amor y el compañerismo. Puede hacerte más sensible hacia las otras personas, a sus necesidades y sentimientos.

Turmalina, melón: Esta piedra tiene rayas verdes, blancas y rosas. Te ayuda a tomar contacto con los dos lados de tu personalidad, la fuerte guerrera y la gentil nodriza, lo activo y lo intuitivo. La piedra también puede usarse para traer el amor a tu vida.

Turquesa: Esta es una maravillosa piedra protectora y curativa. También es un símbolo del amor matrimonial, amistad, y afecto. Se piensa que la turquesa es especialmente poderosa si la intercambian dos amantes.

HIERBAS Y FLORES PARA EL AMOR

> *Las flores... son una afirmación orgullosa*
> *de que un rayo de belleza*
> *vale más que todas las utilidades del mundo.*
> RALPH WALDO EMERSON

Aquí están algunas hierbas comunes, arbustos florecientes y flores encantadoras que puedes añadir a tus hechizos mágicos, embrujos, y rituales. Algunas de estas plantas figuran en los hechizos y encantamientos de los capítulos anteriores, y algunas están aquí para encender tu imaginación y mantener a flote tu creatividad.

Albahaca: El aroma de esta famosa hierba puede despertar simpatía entre dos personas. También ayuda a mantener la fidelidad de un amante. Según el folklore, si un hombre acepta una planta de albahaca de una mujer, la amará para siempre.

Arbusto mariposa: Estas flores fragantes fomentan la lascivia. Serán maravillosas para incorporarse en hechizos de inducción a la pasión (o para fomentar un poco el arrancarse la ropa).

Aquilea: Esta hierba floreciente multiusos es mi planta mágica favorita. Tiene una asociación elemental con el agua y puede ser usada para cualquier propósito mágico que puedas imaginar. La aquilea tiene el poder de mantener feliz a una pareja por siete años. Es fácil de cultivar en un jardín soleado en casa y está fácilmente disponible en las tiendas de manualidades, en la sección de flores secas.

Azalea, blanca: Estas flores representan al primer amor.

Clavel: El clavel está asociado con el elemento fuego y da energía a tus hechizos. La flor en sí misma simboliza un amor puro y apasionado. Echa un vistazo al capítulo 6 para más información sobre los colores mágicos del clavel y más ideas para diseñar tus propios hechizos y encantamientos.

Eneldo: Esta hierba está asociada con el elemento fuego. Se piensa que su aroma induce a la lujuria. El eneldo también es protector y además fomenta la prosperidad.

Geranio, blanco: En el lenguaje floral representa gratitud. Según el folclor de las flores, fomenta la fertilidad.

Hiedra: Esta es una planta femenina, según el folclor de las plantas. Se añade a los ramilletes de boda para asegurar la buena suerte a la novia, y además representa al amor matrimonial y la fidelidad.

Hortensia: Las flores protectoras de este arbusto se usan para deshacer maldiciones.

Lavanda: Esta hierba fragante está asociada con el elemento aire. Es un elemento clásico en los sobres de amor y las bolsas de encantamientos que promueven la suerte, el afecto y el romance (consulta en el capítulo 6 una receta para un sobre de amor de lavanda). Esta hierba es fácil de cultivar en un jardín soleado en casa y también se puede encontrar fácilmente en tiendas de manualidades en la sección de flores secas.

Lila: Las lilas son sagradas para los espíritus de la naturaleza y amadas por el reino de las hadas. En el lenguaje de las flores, las lilas púrpuras simbolizan el primer amor verdadero, mientras las blancas representan la pureza y la dulzura.

Margarita: Esta flor otorga dulzura, inocencia y simplicidad. También está asociada con la diosa del amor Freya. La margarita puede usarse en hechizos para el amor y la pasión.

Menta gatuna (catnip): Esta hierba se vincula con el elemento agua. Esta planta es, como podría esperarse, sagrada para la diosa egipcia y con cabeza de gato Bast, y se puede agregar a los hechizos para fomentar un sentido de alegría y pasión.

Mirto: Este arbusto floreciente es sagrado para Afrodita y Venus. Está asociado con el elemento agua: induce al amor, la pasión, la fidelidad y la felicidad conyugal.

Orquídea: En el lenguaje de las flores, la orquídea anuncia las calidades de la belleza, el lujo, y el refinamiento, lo que explica por qué ha sido tan popular entre las novias. Componente tradicional en los antiguos hechizos de amor, las flores de orquídea también, según los rumores, inducen a la lujuria.

Pensamiento: Esta alegre flor es sagrada para Eros. La historia cuenta que Eros accidentalmente tocó un pensamiento con una de sus flechas que inducen al amor, y la flor "sonrió" complacida para siempre. El pensamiento, también conocido como viola, tiene la correspondencia elemental del agua. Según el folclor, su cara feliz alivia a un corazón roto. En el lenguaje de las flores, fomenta pensamientos amorosos. También pide que "pienses en mí".

Romero: Esta hierba está vinculada con el elemento fuego. Lleva el mensaje "acuérdate de mí". En el lenguaje de las flores, el romero simboliza devoción y fidelidad. Es un añadido clásico a los sobres de amor y las bolsas de encantamientos.

Rosa: La clásica flor para hechizos y encantamientos de amor. Sagrada para muchas deidades, la rosa es romántica y representa belleza, amor y romance. Los diversos colores de la rosa tienen diferentes significados mágicos. Rojo: amor verdadero. Rojo y blanco: creatividad, camaradería, y matrimonio. Rosa pálido: un primer amor tierno y romántico. Naranja: vitalidad, ardor y brío. Rosa mexicano: un amor contemporáneo lleno de energía y entusiasmo. Amarillo: amistad y luz del Sol. Verde pálido: fertilidad, prosperidad y buena suerte. Azul: milagros. Blanco: paz, amor, y magia lunar. Marfil: un amor maduro y firme.

Tanaceto: Esta magnífica hierba floreciente está vinculada con el elemento agua. Crece bien en los jardines de hierbas caseros y semeja una margarita blanca miniatura. Es una planta famosa por sus poderes curativos, y en el lenguaje de flores significa "coquetería".

Tulipanes: Esta flor corresponde al elemento tierra. Representa la prosperidad y la fama y declara que eres un amante perfecto. (Consulta el capítulo 6 para una lista de los significados de los colores del tulipán).

Violeta: Según el lenguaje de las flores, la violeta simboliza modestia y simplicidad. También transmite la idea de "¡yo también te amo!" Las violetas son sagradas para el reino de las hadas. Es interesante notar que las diosas del amor Venus y Afrodita adoran todas las flores azules y si incorporas flores azules en tus hechizos de amor, seguramente te otorgarán sus favores.

Dioses y Diosas del amor

¿Y la Diosa?
está de pie
entre los mundos.
Denise Levertov

Aquí hay un poco de información sobre dioses y diosas del amor y la pasión. Su origen está incluido, así como cualquier asociación con velas de colores, símbolo de otra información que puede ser usada cuando se trabaja con una deidad en particular. Intenta tallar su símbolo en una vela de hechizos o arreglar un altar alrededor de una réplica de la deidad. Busca en internet una imagen que puedas imprimir. Usa tu imaginación y personaliza tu habilidad hechicera.

Afrodita (griega): Diosa madre del amor apasionado y del deseo. Afrodita puede ayudarte a sentirte más segura en tu propia piel y con tu sexualidad. Sus símbolos incluyen la concha marina, rosas, perlas, coral, y el océano; sus colores son el turquesa y el rosa.

Astarté (fenicia): Diosa de la luna, el amor, y la fertilidad. Su símbolo es la luna en cuarto creciente en el cielo oscuro del oeste. Sus colores son el rosado y el plateado.

Bast (egipcia): La hermosa diosa con cabeza de gato. Bast está asociada con el amor, la alegría, la música, la sexualidad y la fertilidad. Sus símbolos son los gatos negros, todos los gatos domésticos y el sistro. Sus colores son el verde y el negro.

Brigit (celta): La diosa de la curación, el fuego, la inspiración y la poesía. Sus símbolos incluyen una llama, el caldero y la chimenea. Brigit es la diosa a la que hay que llamar para asuntos relacionados con el alivio emocional, el fomento de la felicidad doméstica y la santidad de la casa y el hogar. Sus colores son el rojo y el blanco.

Diana (grecorromana): La diosa lunar y una deidad significativa para los adoradores de Brujas y de Diosas contemporáneas. Diana es un patrón para mujeres francas, con gran fuerza de voluntad y valientes. Ella puede ayudarte a encontrar el valor que se necesita para recorrer tu propio camino en la vida. Diana es intrépida y sabia. Sus símbolos incluyen la luna creciente, la luna llena, y un arco y una aljaba llena de flechas. Sus colores tradicionales son el plateado y el blanco.

Eros (griego): El dios antiguo y alado de la fertilidad, del amor y de las relaciones sexuales. A veces confunden a Eros con la representación moderna de Cupido, un bebé. Sin embargo, Eros es una deidad antigua y una de las primeras en venir al mundo, incluso antes de los dioses olímpicos. Imagina a Eros como un hombre guapo y viril —piensa en un hombre como los de las portadas de las novelas rosas. Eros estaba casado con Psyche y era considerado el más amado y el más amoroso de los dioses griegos. Sus símbolos son un arco, flechas doradas y alas. Su color sagrado es el rojo.

Frey (nórdico): Dios de la fertilidad y de la potencia masculina, es hermano de Freya. Está asociado con la virilidad, el placer, la paz, el amor sensual, la alegría, y la belleza. Su animal sagrado es el verraco. Su color: el verde.

Freya: (nórdica): Diosa del amor, la belleza, el sexo y la magia visionaria. Freya estaba especialmente dotada para el arte de los hechizos. Sus asociaciones mágicas incluyen a la piedra preciosa ámbar, los gatos domésticos o salvajes, la primavera y las fresas. Sus colores son el verde, el rojo y el negro.

Hathor (egipcio): Diosa encornada de la belleza, la fertilidad y la música. La vaca, los espejos y el disco solar son sus símbolos. Su color es el azul cielo.

Hécate (griega): La diosa de las encrucijadas, protectora de todas las Brujas. Una diosa lunar con muchos títulos, incluyendo el de reina de la noche. Hécate es una maestra de la magia y tiene muchas caras y apariencias. Puede aparecer como una soltera encantadora, una matrona fascinadora, o una sabia bruja vieja y fea. Es la deidad de la magia y del arte de los hechizos, y sus símbolos mágicos incluyen perros, calderos, una antorcha encendida, llaves, una encrucijada de tres caminos. Sus colores son el negro y el plateado.

Hestia (griega): Diosa del corazón y del hogar. Es el espíritu del fuego de la chimenea. Era la primera de los dioses griegos en ser invocada, mientras encarnaba la llama viviente al centro de la Tierra. Llama a Hestia para el amor familiar y la unidad, pues es protectora de la casa y la familia. Su color sagrado es el rojo llama.

Innana (sumeria): Innana es la diosa lunar de la fertilidad, el amor y la batalla. Sus símbolos son el carro y los leones, y su color es el rojo.

Ishtar (babilónica): También conocida como la reina del Cielo, esta es una antigua y poderosa diosa del amor, la procreación y la guerra. Sus símbolos son la delgada, nueva Luna creciente en el cielo del oeste y el planeta Venus brillando en los cielos. La joyería, tal como brazaletes, collares y anillos, corresponden a esta deidad, ya que típicamente se le representa llevando muchas piezas de joyería. Sus colores son el rojo y el verde.

Isis (egipcia): Diosa suprema del amor, el matrimonio, la fertilidad y la magia, Isis fue adorada por el mundo durante miles de años. Es un arquetipo poderoso al que invocar. Uno de sus títulos es "diosa de los diez mil nombres". Isis es la bella diosa alada, la esposa amorosa de Osiris, y la madre de Horus. Su color es azul oscuro, su piedra sagrada es lapislázuli, y sus símbolos incluyen un trono (que es el jeroglífico para escribir su nombre), alas doradas, el sol y la luna.

Juno (romana): La personificación romana de la Gran Madre. Juno es la matriarca y la patrona y protectora de las mujeres casadas y los hijos. Sus símbolos incluyen un pavoreal, higos y monedas. Sus colores son plateado y azul pavoreal.

Kuan Yin (china): La diosa de la compasión, la piedad, la bondad, la fertilidad, y el nacimiento de los niños. Como una madre diosa, está asociada con la luna llena. Sus símbolos incluyen pájaros y la rama del sauce. Su color es blanco.

Lakshmi (india): La diosa de la belleza y la prosperidad con cuatro brazos. Sus dotes son la gracia y el encanto. Su animal sagrado es el elefante y sus símbolos incluyen el loto, las perlas y las piezas de oro. Sus colores sagrados son dorado y rojo.

Lilith (sumeria): La diosa alada de la lujuria, la sexualidad y el deseo. Lilith es una peligrosa seductora, el hermoso vampiro, y la máxima *femme fatale*. Sus símbolos incluyen alas del color de la media noche, rosas espinosas de un rojo oscuro y búhos. Sus colores son vino, rojo sangre y negro.

Pan (griego): Pan es el dios lujurioso y escandaloso de los bosques, muchas veces es representado como un hombre robusto con las piernas, los cuernos y las orejas de una cabra. Pan tenía buen ojo para las muchachas, era un animal verdaderamente festivo y estaba siempre merodeando al acecho. Representa la alegría del acto físico amoroso, la fuerza desenfrenada del acto sexual, y el instinto procreador. Los símbolos que son sagrados para Pan son las flautas de Pan, el follaje fresco y cualquier lugar salvaje en la naturaleza. Su color es el verde bosque.

Selene (griega): Selene es la hermosa diosa de la Luna llena. Está especialmente encariñada con las Brujas y todos los seres que utilizan magia en general. Es conocida por sus respuestas rápidas y sus prácticas soluciones mágicas. Selene se representa tradicionalmente como una mujer pálida, coronada con una luna creciente. Todas las flores que crecen en la noche se encuentran bajo sus auspicios. Su flor sagrada es el jacinto. Sus colores son el blanco, el plateado y el azul.

Yemayá (afro caribeña): A Yemayá, también llamada "estrella de los siete mares" se la representa a veces como una hermosa sirena negra. Su magia incluye el amor, la comodidad y la llegada de lluvias revitalizadoras a la Tierra. Las mujeres y los niños están bajo su protección. Sus colores son el blanco, el azul marino y el verde mar. Sus símbolos incluyen delfines, conchas de mar y sirenas. Según la tradición, Yemayá disfruta las ofrendas de melones frescos y cuentas de vidrio azules. Si llamas a Yemayá, asegúrate de dejarle como regalo una de estas cosas para ganar su favor.

H<small>OJA DE TRABAJO DE HECHIZOS</small>

> *Oh, tu sonrisa, tu sonrisa*
> *y después fue lanzado el hechizo*
> *y aquí estamos en el cielo*
> *Pues eres mía por fin.*
> M. G<small>ORDON</small> & H. W<small>ARREN</small>, *A<small>T</small> L<small>AST</small>*

Cuando he planeado mis hechizos y encantamientos, se me ha facilitado hacerlos con una hoja de trabajo. Aquí está una para que copies y uses. Esta es una herramienta para ayudarte a organizar tus materiales, calcular tu tiempo lunar, hacer los versos para tus hechizos e idear tu mejor ruta de actividad mágica. ¡Las más brillantes bendiciones para tus hechizos!

Objetivo: _____

_____

_____

Fase lunar: _____

_____

_____

Día del año: _____

_____

_____

Símbolos astrológicos/mágicos usados: _____

_____

_____

Color de la vela (si añadiste una vela mágica): _____

_____

_____

Hierbas o flores usadas: _____

_____

_____

Significado mágico de las flores/hierbas: _____

_____

_____

Cristales o piedras usadas y sus asociaciones: _____

_____

_____

Encantamiento o verso: _____

_____

_____

Resultados: _____

_____

_____

Glosario

Palabras, palabras, simples palabras,
ningún asunto del corazón

Amuleto: Un tipo de encantamiento herbal, ornamento o joya que ayuda a proteger a su portador.

Arte, nuestro: El término de las Brujas para la Antigua Religión y práctica de la Hechicería.

Aterrizar y centrarse: Técnica de visualización, una manera de concentrarse y relajarse antes o después de realizar magia. Sacas la negatividad y el estrés afuera de tu cuerpo.

Beltane: Uno de los ocho sabbats, Beltane empieza en el ocaso, el 30 de abril. El primero de mayo es el día de Beltane, y se celebra con flores, festividades, bailes y palos adornados con flores y listones. Este es un sabbat lujurioso, señala el punto medio entre la primavera y el verano, y es un momento excelente para encontrarse con hadas. Un buen tiempo para realizar hechizos para la pasión y el romance. Sus colores incluyen tonos brillantes de rosa, púrpura, amarillo, durazno, azul y verde, o el más tradicional rojo y blanco.

Bolsa de encantamientos: Similar a un saquito, es una pequeña bolsa de tela llena de hierbas aromáticas, cristales cargados, y otros ingredientes mágicos. Una bolsa de encantamientos puede ser llevada por una variedad de razones mágicas tales como promover el amor, curación, protección, o prosperidad.

Elementos Naturales: tierra, aire, fuego y agua.

Encantamiento: Serie rítmica de palabras (simple hechizo) usado para un propósito mágico específico. (Ver amuleto.)

Encantar: Las definiciones clásicas son 1. Cantarle a. 2. Influir gracias a o como si fuera por encantamientos y encantaciones; embrujar. 3. Atraer y conmover profundamente; provocar una admiración extasiada.

Ética: Si no sabes qué es, estás en problemas. Remítete a las definiciones de la Regla Dorada y la Rede Wicca.

Expulsión: Repeler a una persona indeseada o una situación negativa.

Florigrafía: El lenguaje de las flores.

Fascinación floral: Fascinación es el arte de dirigir la conciencia o la voluntad del otro hacia ti, mandar o embrujar. Las fascinaciones florales son hechizos florales que se utilizan para diversos propósitos mágicos.

Hechizo: Acto específico de magia que crea un cambio positivo de acuerdo con tu voluntad, anhelos y deseos.

Herbalismo: El uso de hierbas en conjunción con magia para atraer un cambio positivo.

Imbolc: Uno de los ocho sabbats, Imbolc se encuentra a medio camino entre el invierno y la primavera y se festeja tradicionalmente el 2 de febrero. Si observas con cuidado a la naturaleza en esa época del año, verás signos de que el invierno está perdiendo el control de la Tierra. Este día también es conocido como Candlemas, la Candelaria y día de la Marmota. Los símbolos para este sabbat abarcan la nieve y el hielo, el azafrán púrpura, bolas de nieve, velas, y la cruz de cuatro rayos de Brigit.

Invocar: Atraer la esencia de algún dios amado hacia uno mismo, dejando que la deidad canalice sus poderes temporalmente, así como su personalidad y su sabiduría a través de ti.

Lammas: Uno de los ocho sabbats, el festival de la primera cosecha se celebra el 1°de agosto. En estas fechas se recogen las primeras cosechas del campo y los cultivos de vegetales. Este festival transcurre en verano, cuando las temperaturas son extremas. Sus colores son dorado, amarillo y verde. Los símbolos para este sabbat incluyen vegetales de jardín, frutas y bayas de verano, espigas de maíz, el girasol y gavillas de trigo.

Coletilla: Unas cuantas líneas para cerrar y que colocas como "etiqueta" al final de un hechizo para asegurar que la magia no es manipuladora y es para el libre albedrío y el bien de todos.

Ley de tres: Regla tradicional de nuestro Arte y magia positiva que establece: "Si alguna vez obedeces la ley de tres, tres veces lo que des regresará a ti." Es una lección de causa y efecto, que significa que cualquier energía mágica que envíes fuera al mundo, te será devuelta tres veces más, para bien o para mal.

Limpia: Este es el acto de pasar una persona o un objeto en el humo de un incienso purificante, tal como la lavanda, el sándalo, la salvia, o el olíbano. Cuando el humo pasa por tu cuerpo o por un objeto, limpia la negatividad, la energía amarga y las vibraciones negativas.

Maban: Uno de los ocho sabbats de las Brujas. La fecha festiva cambia cada año, dependiendo de cuándo entra el sol en el signo astrológico de Libra (entre el 21 y el 23 de septiembre). El equinoccio de otoño, también conocido como Mabon, es, en esencia, una celebración de la cosecha y un momento de balance y plenitud. Los colores para este festival del otoño incluyen tonalidades como el rojo, el café, el naranja, el dorado, y el amarillo. Los símbolos del sabbat incluyen tallos de maíz, calabazas, el maíz ornamental, el follaje otoñal, la manzana y la desbordante cornucopia.

Magia: El arte y la ciencia de crear un cambio positivo en tu vida. La magia es una fuerza de la naturaleza y un proceso compasivo. Funciona en armonía con tu poder personal y los elementos de la naturaleza —tierra, aire, fuego, y agua— para traer transformaciones amorosas y constructivas a tu vida.

Mago natural: Un practicante mágico que trabaja principalmente con materiales terrenales, los cuatro elementos y en armonía con las hierbas y la naturaleza.

Midsummer: El solsticio de verano es otro sabbat. Se celebra alrededor del 21 de junio. Es la cima del poder y la fuerza solar. Es nuestro día más largo y nuestra noche más corta. De este punto en adelante, las horas de sol se reducirán hasta el solsticio de invierno. El solsticio de verano es un momento oportuno para realizar magia de jardín y trabajar con las hadas. Los colores para trabajar son el verde y el dorado. Los símbolos naturales de flores frescas y de hojas verdes del jardín son de lo más apropiado.

Ostara: El equinoccio de primavera y un sabbat que cae alrededor de mayo 21. Este día festivo usa el nombre de la diosa nórdica de la primavera, Eostre. Las horas durante el día y durante la noche son iguales este día. El festival de primavera celebra que la luz y la vida regresan a la Tierra, y es un tiempo para empezar de nuevo y hacer planes para el futuro. Los colores de este sabbat son los tonos pastel de rosa, azul cielo, amarillo pálido y verde, lila suave, y verde primavera. Los símbolos de este festival incluyen huevos, flores de primavera, y el conejo sagrado de Eostre.

Posy: un pequeño ramillete floral, de forma típicamente redonda. También se llama *Tussie-mussie*.

Rede Wicca: Regla absoluta con la que los Wiccanos, las Brujas y los magos viven éticamente. La Rede declara simplemente: "Si no lastimas a nadie, haz lo que quieras."

Regla de Oro, la: Ésta es una promesa y un juramento de nunca lastimar a ninguna cosa viva con el uso de la magia o el poder personal. Sin duda has notado el uso de esta frase durante el libro: Para el bien de todos, sin mal para ninguno. (Remitirse también a la Rede Wicca).

Ritual: Un acto de magia complejo, más formal, que normalmente contiene un hechizo y otros actos específicos. Los rituales típicamente tardan más en realizarse, tienen muchos pasos, son más complicados, y son por naturaleza más intensos y serios.

Ritual para librarse de una maldición: Un acto mágico que se concentra en remover los efectos de una maldición o de algún hechizo manipulador.

Samhain: Este sabbat es también conocido como el año nuevo celta y Halloween, y se celebra al anochecer del 31 de octubre. En este día, el velo entre el mundo espiritual y el mundo físico está en su momento más delgado. Esta famosa fiesta es un momento excelente para realizar adivinación amorosa, y se usa tradicionalmente para honrar la memoria de cualquier persona amada que haya fallecido. Los colores para este sabbat incluyen el negro y el naranja. Sus símbolos incluyen la calabaza, las linternas de calabaza y el follaje de otoño.

Triple Diosa lunar, la: Se refiere a los tres rostros de la Diosa: la Doncella se simboliza con la luna creciente, la Madre se representa con la luna llena y la Vieja se honra con la luna menguante.

Vestir: Referente al acto de ungir una vela u otra herramienta mágica con una sustancia como aceite esencial, agua de primavera o miel.

Wicca: Nombre contemporáneo para la religión de la Bruja. Wicca toma sus raíces de la palabra anglosajona wicce, que puede significar "sabia". También se cree que podría significar "moldear" o "doblar". Wicca es una religión pagana basada en los ciclos de la naturaleza y la fe en el karma, la reencarnación, y la adoración tanto de un dios como de una diosa.

Yule: Sabbat que cae en el solsticio de invierno, celebrado alrededor del 21 de diciembre. El solsticio de invierno es el día más corto y la noche más larga del año. Yule es tradicionalmente el momento en el que los paganos celebran a la Madre Diosa y el regreso del recién nacido Rey Sol, al que a veces llaman Niño de Luz. Los colores de este sabbat son rojo, verde, blanco, y dorado. Los árboles decorados, el tronco de Yule, el acebo fresco, el muérdago y las plantas de hoja de perenne caracterizan las celebraciones de Yule.

Bibliografía

Los libros nos dejan entrar en sus almas y dejan abiertos
ante nosotros nuestros propios secretos.

WILLIAM HAZLIT

Almond, Jocelyn, y Keith Seddon, *Understanding the Tarot*, Londres: Aquarian Press, 1991.

Arkins, Diane C., *Halloween Merrymaking*, Gretna, L. A., Pelican Publishing Company, 2004.

Bartlett, Sarah, *Feng Shui for Lovers*, Nueva York, Kondansha America, 1999.

Biziou, Barbara, *The Joy of Ritual*, Nueva York, Golden Books, 1999.

Bowes, Susan, *Notions and Potions*, Nueva York, Sterling Publishing Company, 1997.

Cabot, Laurie, y Tom Cowan, *Love Magic*, Nueva York, Dell Publishing Company, 1992.

Cabot, Laurie, y Jean Mills, *Celebrate the Earth. A Year of Holiday in the Pagan Tradition*, Nueva York, Dell Publishing Company, 1994.

Cabot, Laurie, *The Witch in Every Woman*, Nueva York, Dell Publishing Company, 1997.

Clark, Stacy, M.A., y Eve Adamson, *The Complete Idiot's Guide to Being a Sex Goddess*, Nueva York, Penguin Group, 2004.

Cunningham Scott, *Cunningham Enciclopedia of Cristal, Gem & Metal Magic*, St. Paul, Mn. Llewellyn, 1992.

_____ *Earth, Air, Fire & Water: More Techniques of Natural Magic*, St. Paul, Mn., Llewelyn, 1992.

_____ *Magical Aromatherapy*, St. Paul, Mn., Llewelyn, 1993.

Curott, Phylis, *The Love Spell*, Nueva York, Gotham Books, 2005.

Day, Laura, *Practical Intuition in Love*, Nueva York, HarperCollins, 1998.

Dolnick, Barrie, *Simple Spells for Love*, Nueva York, Harmony Books, 1995.

Dolnick, Barrie, Julia Condon y Donna Limoges, *Sexual Bewitchery and Other Ancient Feminine Wiles*, Nueva York, Avon Books, 1998.

Dugan, Ellen, *Cottage Witchery*, St. Paul, Mn., Llewellyn, 2005.

_____ *Elements of Witchcraft: Natural Magic for Teens*, St. Paul, Mn., Llewellyn, 2003.

_____ *The Enchanted Cat*, Woodbury, Mn., Llewellyn, 2006.

_____ *Garden Witchery*, St. Paul, Mn., Llewellyn, 2003.

_____ *Herb Magic for Beginners*, Woodbury, Mn., Llewellyn, 2006.

_____ *"June"*, *The 2008 Llewellyn Witches Calendar*, Woodbury, Mn., Llewellyn, 2007.

_____ *7 Days of Magic*, St. Paul, Mn., Llewellyn, 2004.

Dunwich, Gerina, *The Magic of Candle Burning*, New York, Citadle Press, 1989.

Gallagher, Ann-Marie, *The Spells Bible*, Cincinnati, Oh., Walking Stick Press, 2003.

Gillotte, Galen, *Sacred Stones of the Goddess*, St. Paul, Mn., Llewellyn, 2003.

Illes, Judika, *The Element Enciclopedia of, 5000 Spells*, New York, Element, 2004.

Jonson, Anna, *Three Black Skirts*, New York, Workman Publishing Company, 2000.

Lapanja, Margie, *The Goddess Guide to Love*, Berkeley, Ca., Conari Press, 1999.

Laufer, Geraldine Adamich, *Tussie Mussies: The Language of Flowers*, New York, Workman Publishing Company, 1993.

McCoy, Edain, *If You Want to Be a Witch*, St. Paul, Mn., Llewellyn, 2004.

McLelland, Lilith, *The Salem Witches Book of Love Spells*, Nueva York , Citadle Press, 1998.

Medici, Marina, *Good Magic*, New York, Simon & Schuster, 1992.

Morrison, Dorothy, *Enchantments of the Heart*, Franklin Lakes, N.J., New Page Books, 2002.

Nahmad, Claire, *Earth Magic: A Wisewoman's Guide to Herbal, Astrological and Other Folk Wisdom*, Rochester, Vt., Destiny Books, 1994.

Penczak, Christopher, *The Outer Temple of Witchcraft*, St. Paul, Mn., Llewellyn, 2004.

_____ *The Shamanic Temple of Witchcraft*, St. Paul, Mn., Llewellyn, 2005.

Ravenwolf Silver, *Silver's Spells for Love*, St. Paul, Mn., Llewellyn, 2001.

Rich, Ronda, *What Southern Women Know About Flirting*, New York, Penguin Group, 2005.

Skolnick, Solomon M., *The Language of Flowers*, White Plains, NY, Peter Pauper Press, 1995.

Sylvan Dianne, *The Body Sacred*, Woodbury, Llewellyn, 2005.

Telesco, Patricia, *Goddess in My Pocket*, New York, HarperCollins, 1998.

_____ *A Little Book of Love Magic*, Freedom, Ca., Crossing Press, 1999.

Trobe, Kala, *Invoke the Goddess*, St. Paul, Mn., Llewellyn, 2000.

_____ *The Witch's Guide to Life*, St. Paul, Mn., Llewellyn, 2003.

Williamson, Marianne, *Enchanted Love*, New York, Simon & Schuster, 1999.

SITIOS WEB

www.victorianhalloween.com información sobre el Halloween victoriano (visto el 7/11/2007).

www.thecompletevictorian.homestead.com/halloween.htlm información sobre el Halloween victoriano (visto el 7/11/2007)

http://en.wikipedia.org/wiki/Perfumes categorías de aromas de perfumes (visto el 7/11/2007)

http://www.beautybuzz.com/scent.asp?page=families "Fragance Families", por Denise Petals (visto el 7/11/2007)

Acerca de la autora

*E*llen Dugan, también conocida como la Bruja del jardín, es una psíquica clarividente que vive en Missouri con su esposo y sus tres hijos. Bruja practicante desde hace veinticuatro años, Ellen recibió su Maestría en Jardinería a través de la Universidad de Missouri. También da clases en su localidad de brujería, medicina botánica para magia y magia práctica. Si el lector lo desea, puede encontrar artículos de Ellen en el anuario Magical Alamanac, Wicca Almanac y Herbal Almanac, y en el nuevo Witches Companion, todos publicados por Llewellyn. Su sitio de internet es: www.geocities. com/edugan_gadenwitch

Este libro terminó de imprimirse en diciembre de 2008 en
Impresos y Acabados Editoriales, calle 2 de abril # 6
esq. Gustavo Baz, col. Ampliación Vista Hermosa,
CP 54400, Nicolás Romero, Edo. de México